D1230672

Mon jeune chien a des problèmes

Données de catalogage avant publication (Canada)

Dehasse, Joël
    Mon jeune chien a des problèmes : des solutions aux troubles de comportement
    (Collection Guide pas bête)
    1. Chiens - Thérapie de comportement.   2. Chiots - Mœurs et comportement.   3. Animaux - Psychopathologie.   I. Titre   II. Collection.

SF433.D432   2000   636.7'0887   C00-940529-1

DISTRIBUTEURS EXCLUSIFS :

- Pour le Canada
  et les États-Unis :
  MESSAGERIES ADP*
  955, rue Amherst
  Montréal, Québec
  H2L 3K4
  Tél. : (514) 523-1182
  Télécopieur : (514) 939-0406
  * Filiale de Sogides ltée

- Pour la France et les autres pays :
  INTER FORUM
  Immeuble Paryseine, 3, Allée de la Seine
  94854 Ivry Cedex
  Tél. : 01 49 59 11 89/91
  Télécopieur : 01 49 59 11 96
  Commandes: Tél. : 02 38 32 71 00
                  Télécopieur : 02 38 32 71 28

- Pour la Suisse :
  DIFFUSION: HAVAS SERVICES SUISSE
  Case postale 69 - 1701 Fribourg - Suisse
  Tél. : (41-26) 460-80-60
  Télécopieur : (41-26) 460-80-68
  Internet : www.havas.ch
  Email : office@havas.ch
  DISTRIBUTION: OLF SA
  Z.I. 3, Corminbœuf
  Case postale 1061
  CH-1701 FRIBOURG
  Commandes: Tél. : (41-26) 467-53-33
                  Télécopieur : (41-26) 467-54-66

- Pour la Belgique et
  le Luxembourg :
  PRESSES DE BELGIQUE S.A.
  Boulevard de l'Europe 117
  B-1301 Wavre
  Tél. : (010) 42-03-20
  Télécopieur : (010) 41-20-24

Pour en savoir davantage sur nos publications,
visitez notre site : **www.edjour.com**
Autres sites à visiter : www.edhomme.com • www.edtypo.com
www.edvlb.com • www.edhexagone.com • www.edutilis.com

site de l'auteur : www.ethovet.com

Dépôt légal : 2ᵉ trimestre 2000
Bibliothèque nationale du Québec

ISBN 2-8904-4679-4

L'Éditeur bénéficie du soutien de la Société de développement des entreprises culturelles du Québec pour son programme d'édition.

Nous remercions le Conseil des Arts du Canada de l'aide accordée à notre programme de publication.

Nous reconnaissons l'aide financière du gouvernement du Canada par l'entremise du Programme d'aide au développement de l'industrie de l'édition (PADIÉ) pour nos activités d'édition.

Dr Joël Dehasse

Mon jeune chien a des problèmes

Des solutions aux troubles de comportement

le jour,
éditeur

COLLECTION GUIDE PAS BÊTE

Introduction

À quoi sert ce guide ?

Je l'ai écrit pour expliquer les difficultés comportementales que l'on peut rencontrer avec de jeunes chiens. Pour être plus précis, je parle en fait des difficultés comportementales qui apparaissent dans le jeune âge, entre l'âge de l'acquisition et l'âge de 1 an : chez le chiot, le chien adolescent et le jeune adulte.

Votre chien a plus de 1 an ? Pas de problème. Si ses difficultés comportementales ont débuté avant l'âge de 1 an, ce guide est écrit pour vous.

À qui sert ce guide ?

À vous. C'est votre premier chien ? Vous avez des chiens depuis votre enfance, le chien n'a plus de secret pour vous, mais il est parfois craintif, impulsif, dominant ? Vous êtes éducateur canin ? Vétérinaire ? Ce guide donnera à tous des techniques pour aider un chien à problèmes.

L'échec est-il permis ?

S'il est quasiment impossible de rater l'éducation d'un chien, il est malgré tout possible que le chien présente des troubles de comportement. À nous d'analyser d'où ils viennent, à quoi ils sont dus, comment les éviter, comment les traiter.

Ce guide ne remplace pas la consultation auprès d'un vétérinaire comportementaliste, car le chien peut avoir de sérieux problèmes.

Une clé pour lire le guide

En Occident, on lit de gauche à droite et de haut en bas. En Asie ce serait différent. Dans ce cas-ci, pour une première lecture, je vous conseille de commencer par l'introduction et d'aller de page en page, du début à la fin du guide. Ensuite, revenez à votre sujet préféré, potassez-le et expérimentez.

Un guide n'est pas une encyclopédie

Un guide va à l'essentiel. Il tient plus du manuel que de l'encyclopédie. Il est essentiellement pratique, même s'il a recours à des éléments de théorie. Un guide prend des raccourcis et ne tente pas de tout expliquer.

Le guide passe-partout

Ce guide, vous l'avez maintenant en main. Vous allez le prendre partout avec vous, en forêt, sur la plage, en montagne, en randonnée, en bateau, à la pêche… Mais vous pouvez aussi le lire bien à l'aise dans un fauteuil ou dans votre lit, et en faire un livre de chevet.

J'espère que vous le mettrez dans votre sac à main, votre sac à dos ou dans le vide-poches de votre voiture. Il va accompagner votre chien partout… Ce guide ne peut pas rester un livre impeccable, un livre de collection à garder dans une bibliothèque, car vous allez le rouler, plier les coins des pages, coller des indicateurs de page, souligner et colorer le texte. Si vous avez envie d'un beau livre pour votre bibliothèque, achetez-en un second exemplaire !

Ne le prêtez pas, même à votre meilleur ami. Il ne vous le rendra pas. Vous en perdrez la trace pour toujours…

Les jeunes chiens à problèmes

Les problèmes comportementaux

Chiot craintif, chiot agressif, chiot malpropre, chiot intolérant à la solitude, chien nerveux, chien désobéissant, chien dominant? Quels sont les problèmes comportementaux que l'on rencontre le plus fréquemment chez les jeunes chiens? D'où viennent-ils? Comment les prévenir? Comment les traiter?

Pour essayer d'y voir plus clair, je vais classer les chiens dans différentes catégories en fonction de leurs symptômes prédominants. Le lecteur me pardonnera cette modélisation simplifiée qui permet une approche plus didactique. Il est certain, et j'en reparlerai plus loin, que le jeune chien peut être classé dans plusieurs catégories.

TABLEAU DES PROBLÈMES COMPORTEMENTAUX	
Ce tableau résume mon approche et annonce quelques chapitres de ce guide.	
Les troubles anxieux, les craintes et les peurs	Gestion de la période de socialisation primaire
La nervosité, l'hyperactivité, avec ou sans agressivité	Gestion du contrôle de soi, de la motricité, des morsures
La délinquance, l'agressivité inexpliquée, l'absence de respect des règles sociales	Gestion des règles sociales, des rituels de communication

Tableau des problèmes comportementaux (suite)	
L'intolérance de la solitude, de la séparation	Gestion de l'attachement
Le chien dominant	Gestion de la hiérarchie
Le chiot inerte, inactif, peu joueur	Gestion de la dépression
Le chiot malade ou traumatisé	Gestion des suites de maladies ou de traumatismes
Le chien à problèmes multiples	Gestion des cas complexes

Les problèmes d'éducation

De nombreux problèmes ont déjà été traités dans le guide *L'éducation du chien*. J'y parle des techniques simples et efficaces de l'éducation des chiots et des chiens de tous âges et aussi de pédagogie, des récompenses, des corrections, des interdictions, des injonctions, du façonnement… J'y parle également de la propreté et je ne reviendrai pas dans ce guide sur les techniques d'apprentissage de la propreté du chiot. Mais je parlerai des malpropretés liées à des désordres comportementaux.

Problèmes, désordres, troubles comportementaux…

… Et même, pathologies comportementales. Qu'est-ce qu'un comportement normal ?

Les scientifiques diront plutôt physiologique que normal. Mais qu'importe ? Est normal un comportement adaptatif, souple, flexible, qui s'ajuste sans difficulté majeure aux modifications de l'environnement. Le chien aux comportements normaux est capable d'apprendre et de s'adapter.

Dès lors est pathologique un comportement qui a perdu cette capacité d'adaptation. Le comportement pathologique est généralement figé, pétrifié, rigide, ankylosé. Les capacités d'apprentissage sont fortement amoindries. L'animal souffrant d'une pathologie comportementale a des difficultés à interagir avec son environnement et le comportement pathologique interfère avec les activités sociales normales.

La pathologie et la normalité ne sont pas définies en fonction des attentes du propriétaire ou de la société. Le chien est un être vivant avec ses besoins, et c'est à nous de respecter son éthologie. Un chien enfermé et isolé dans un petit jardin va forcément aboyer, détruire ou tenter de s'échapper de cet environnement contraignant.

- Le problème de comportement, c'est le comportement du chien qui pose un problème au propriétaire, qui l'interpelle, qui le gêne et l'embarrasse.
- Le trouble, c'est une anomalie de fonctionnement dans le comportement de l'animal ou de son système familial.
- Le désordre comportemental est un mot inspiré de l'anglais *disorder*. Il couvre un ensemble de signes et de symptômes obligatoires et accessoires afin d'en faire un syndrome. Quand les spécialistes parlent entre eux d'un syndrome, ils font référence à une notion arbitraire mais acceptée par leur groupe. C'est ce que je ferai quand j'expliquerai le syndrome de privation, la dépression, l'anxiété de séparation, etc.

De la demande au diagnostic

Ce guide est construit comme une consultation de comportement. Je commence par préciser la demande du propriétaire qui consulte. Quelle est votre demande, quels sont vos problèmes, qu'avez-vous remarqué, qu'est-ce qui vous gêne, vous embarrasse, empêche la vie du système humain-chien d'être harmonieuse ?

Après l'analyse de la demande et du problème, je m'intéresse au chien. Qui est-il ? Quels sont tous ses signes et ses symptômes ? Vont-ils me mener à quelque chose ? Vont-ils me permettre de poser un diagnostic ?

Pour proposer des solutions, ou du moins des techniques pour résoudre les problèmes (la demande) et les éventuelles pathologies de l'animal, je dois connaître le milieu dans lequel évolue le chien et, particulièrement, l'écologie de ce milieu et le groupe social. Dans ce groupe, il existe des compétences qui vont soutenir les changements, mais il y a aussi des résistances dont il faut tenir compte.

Ce guide n'est pas une consultation. Les solutions que je propose devraient être individualisées à chaque groupe humain-chien, sous peine de ne pas être très efficaces. C'est pourquoi j'insiste sur la nécessité de consulter un(e) vétérinaire comportementaliste pour préciser le diagnostic et individualiser les traitements.

Le jeune chien craintif

Lady

Lady est une jeune colley acquise à 4 mois dans un élevage à la campagne. Elle semblait sans problème. Une fois arrivée en ville, on s'est rapidement rendu compte qu'elle avait peur de tout ce qui bougeait dans la rue, et particulièrement du bruit. Les pétarades des cyclomoteurs la mettaient dans un état de panique et, en fuyant, elle a failli se faire renverser par une voiture.

D'où viennent les craintes et les peurs des chiots ?

Un chiot ne naît pas craintif, il le devient. Cette affirmation est partiellement juste. Il y a des lignées de chiens craintifs et il est indispensable que les éleveurs sélectionnent des reproducteurs non craintifs et hautement adaptables à de nombreux environnements. Si on exclut la génétique responsable de 20 % à 30 % de la problématique, il est alors vraisemblable de dire que le chiot devient craintif. Ou plutôt, il faudrait dire que le chiot perd la capacité de s'adapter.

La crainte et la peur

Comme je vais souvent utiliser ces deux termes, en voici les définitions.

- La crainte est la réaction comportementale modérée d'un individu devant un stimulus inconnu ou connu et jugé faiblement dangereux dans un milieu qui permet la fuite ou l'exploration.
- La peur est la réaction comportementale violente d'un individu devant un stimulus inconnu ou connu et jugé fortement dangereux dans un milieu qui ne permet pas la fuite ou l'exploration. Le comportement de fuite ou d'agression est accompagné de transpiration, de salivation, de halètements, de miction ou de défécation émotionnelle, ou même de vidange des sacs anaux.

La période de socialisation primaire

C'est un sujet qui est enfin venu à la mode. Le chiot possède une période d'apprentissage fabuleuse entre l'âge de l'ouverture des yeux et des oreilles (vers 2 semaines) et l'âge de 3 à 4 mois.

Que peut-il apprendre ? Il peut tout apprendre. Il doit tout apprendre. Il peut et il doit apprendre au minimum :
- à quelle espèce il appartient (identité d'espèce) ;
- quelles seront les espèces amies (qu'il ne chassera et ne mangera pas) ;
- quel est le milieu de vie dans lequel il fera bon vivre.

Tout ce qu'il n'a pas appris, il risque d'en avoir peur ou de l'agresser. Pendant la période de socialisation primaire, le chiot établit des seuils de références sensoriels dans son ordinateur cérébral. Quand ces seuils sont dépassés, il ressent des émotions et agit pour éviter les stimulations potentiellement dangereuses.

La tolérance au bruit

Prenons un exemple. L'intensité du bruit est chiffrée en décibels (dB). Une conversation courante se situe aux environs de 30 dB. Le bruit urbain en forte circulation monte à 60 dB. Un avion à réaction au décollage est à 100-110 dB. Le seuil de douleur pour l'être humain est aux environs de 80 dB. Un chiot qui a vécu sa période de socialisation en sortant en ville, dans les marchés, dans les gares ou dans la rue, établit un seuil de réaction de crainte aux environs de 60 à 80 dB. En revanche, un chiot ayant vécu sa période de socialisation à la campagne risque d'établir un seuil de réaction de crainte aux environs de 30 à 40 dB. Dès lors, immergé en ville, il va réagir avec crainte, peur et échappement.

Le chiot des villes, le chiot des champs

Le chiot s'adapte plus facilement en passant d'un biotope riche à un milieu pauvre. Un chiot qui a vécu sa jeunesse en ville s'adapte mieux à la campagne ou à la mer qu'un chiot ayant vécu à la campagne – le chiot des champs – et qui doit émigrer en ville. Ce dernier semble submergé d'informations, ne sait pas quoi en faire, comment les organiser et prend peur, risque même de faire une attaque de panique et tente de fuir ces lieux effrayants.

Le chiot des villes est plus à l'aise dans tous ces environnements agités et bruyants, pour autant qu'il les ait fréquentés avant l'âge de 14 semaines. Le chiot d'appartement qui n'a pas mis le nez dehors, du moins pas dans les lieux agités et bruyants, avant l'âge de 14 semaines, ne se débrouille pas mieux et panique autant que le chiot des champs.

De l'inadaptation au milieu de vie

Dans *L'éducation du chien,* j'ai détaillé toute la signification de cette période de socialisation primaire. J'ai proposé de comparer le cerveau à un ordinateur biologique. C'est pendant cette période que le cerveau définit l'organisation, les zones spécialisées et les détails de sa structure. Si le cerveau se développe suivant une impulsion génétique, il subit un processus de maturation qui est lié, lui, à l'influence de l'environnement. Un chiot privé de lumière pendant ses trois premiers mois de vie devient aveugle. Et c'est définitif. Un chiot privé de contact social avec des humains devient un chien sauvage. Et c'est aussi quasiment définitif. Un chiot privé de contact avec des chiens aura peur des chiens ou les attaquera, voire éventuellement s'il fait partie d'une race de bonne taille, chassera les petits chiens (et les mangera).

Le syndrome de privation

Les chiens qui sont atteints du syndrome de privation :
- ne peuvent pas gérer certains stimuli de l'environnement (ils en ont peur) ;
- ont vécu une période de socialisation dans un milieu appauvri (hypostimulant).

Pourquoi «syndrome de privation» ? Parce que les chiots ont été privés d'informations capitales au bon développement de leur ordinateur cérébral. Ils ont des déficits structurels dans l'organisation de l'information et de leurs réactions émotionnelles.

Ces chiots peuvent exprimer différents degrés d'invalidité qui vont de la simple phobie, à l'anxiété ou à la dépression.

La phobie

La phobie est une réaction ponctuelle de crainte ou de peur d'un stimulus bien défini, réel, mais qui s'est révélé à l'animal comme étant sans danger réel. Par exemple, les pétards, les feux d'artifice, les gens, les engins motorisés, etc.

Il est normal pour un chiot qui n'a jamais rencontré de vélomoteur pétaradant de s'en éloigner ou de trouver réconfort près d'un individu aimé (sa mère, ses propriétaires). Si la première confrontation se fait dehors, par beau temps, sur un grand terrain et que le vélomoteur n'attaque pas le chiot, celui-ci s'en approchera progressivement, surtout s'il imite sa mère ou les amis humains. L'exploration lui permettra de réaliser que le cyclomoteur, même bruyant, est sans danger. Il y a phobie lorsque cet apprentissage ne se fait pas.

Le chien qui a peur va exprimer :
- une réaction émotionnelle,
- une posture particulière,
- un comportement distinctif.

La réaction émotionnelle est analogue à celle que vous pouvez ressentir lors de vos propres angoisses. Le cœur bat la chamade, la respiration s'accélère et devient laborieuse, on transpire... bref, on se sent mal. Ces sensations sont liées à la libération d'adrénaline et de nombreux autres transmetteurs chimiques de l'émotion.

La posture du chien peureux est basse, il a la tête rentrée dans les épaules, les oreilles tirées en arrière, la queue rentrée entre les membres postérieurs et il tremble.

Le chien peureux utilise trois stratégies comportementales :
- la fuite,
- l'immobilisation,
- l'attaque pour maintenir le stimulus à distance.

Les phobies dans le syndrome de privation

Dans le syndrome de privation, les phobies les plus fréquentes sont :
- certains types humains : hommes, enfants en bas âge, personnes avec un handicap moteur et, de façon beaucoup moins fréquente, les femmes ;
- les humains étrangers au groupe familial ;
- les bruits urbains, particulièrement ceux des voitures, camions, vélomoteurs et engins motorisés inhabituels (camion des éboueurs) ;

- les bruits d'explosion, comme les pétards, les coups de feu, les feux d'artifice, l'orage ;
- les chiens de conformation très différente.

Un chiot sur cinq évoluera vers la guérison grâce aux techniques éducatives et aux encouragements de leurs maîtres. Mais les autres chiots vont évoluer vers des états d'invalidité plus sérieux.

Quand le chien phobique attaque et que cette attaque produit les effets escomptés, c'est-à-dire le maintien à distance du stimulus (de l'intrus), le comportement d'agression s'intensifie avec le temps jusqu'à devenir réflexe et involontaire.

L'anxiété

L'anxiété est un état d'émotion diffuse de crainte ou de peur, chargée d'appréhension (anticipation), en réaction peu prévisible à des variations, même mineures, de l'environnement. Elle se manifeste dans des postures et des comportements de la peur. Elle s'accompagne souvent de manifestations somatiques irrégulières comme de la diarrhée, des vomissements, de la salivation, de la transpiration…

Si certains stimuli déclencheurs sont bien définis (phobie), d'autres sont très variables et fluctuants. Un jour ce sera le passage du facteur, le lendemain ce sera un bruit de casserole.

L'anxiété entraîne une invalidité sociale importante.

L'anxiété dans le syndrome de privation

Dans le syndrome de privation, l'anxiété (appelée « anxiété de privation ») se manifeste fréquemment par :
- des réactions de peur imprévisibles ;
- un état d'hypervigilance à la moindre variation de l'environnement ;

- une altération du comportement alimentaire, le chien mangeant généralement quand il est seul (la nuit) ou exclusivement en présence des personnes d'attachement;
- une perte de l'initiative dans l'exploration et l'investigation de nouveaux stimuli (objets, jouets, personnes…);
- un hyperattachement et une intolérance à la séparation;
- des manifestations comme le léchage excessif des pattes ou une ingestion exagérée d'aliments ou d'eau.

L'état d'un jeune chien souffrant d'une anxiété de privation ne s'améliore jamais spontanément. Il souffre d'une invalidité sociale sérieuse et son comportement entraîne des difficultés dans le système familial.

La dépression dans le syndrome de privation

Je dirai quelques mots sur la dépression dans le chapitre 12. Dans le syndrome de privation, l'état de dépression est une invalidité grave. Le traitement est possible, mais il est lent et prendra entre un et deux ans. Le chien aura toujours des déficits sociaux d'une intensité variable. Personnellement, mais ceci n'engage que moi, je crois que la privation sensorielle habituelle en milieu d'élevage traditionnel ne peut conduire à cette intensité de pathologie sans l'aide d'importants facteurs génétiques ou physiques, comme une insuffisance thyroïdienne. En revanche, les élevages industriels, où les chiots sont plusieurs dans des cages, comme des poules, peuvent très bien engendrer ce type de pathologie. Autant le savoir…

Traiter le syndrome de privation

C'est le sujet du prochain chapitre.

Prévenir et traiter
le syndrome de privation

Prévention

Aisée en théorie, la prévention est malaisée en pratique. Il suffirait que le chiot soit en contact avec l'environnement dans lequel il vivra en tant qu'adulte. Mais qui peut prévoir qu'un chiot vivra à la ville ou à la campagne, à la mer ou sur un bateau?

Dès lors, on se basera sur le principe suivant: le chiot s'adapte plus facilement d'un biotope riche à un milieu pauvre.

La conclusion est simple; il faut enrichir la période de socialisation de tous les chiots. Il faut enrichir le cerveau de tous les chiots, afin de leur permettre de s'adapter au mieux au plus grand nombre de circonstances et au plus grand nombre d'environnements. Un chiot au cerveau bien fait est un chiot intelligent et adaptable.

Par conséquent, un chiot bien socialisé et intelligent aura besoin, une fois adulte, d'un environnement complexe et se satisfera mal d'un environnement appauvri.

La première approche à cette socialisation enrichie est la pièce d'éveil.

La pièce d'éveil : un milieu de développement enrichi

Chaque éleveur, même amateur, pourrait établir dans sa maison une pièce d'éveil et d'enrichissement psychomoteur dans laquelle les chiots passeraient plusieurs heures par jour. Cette pièce permettrait l'éveil de tous les sens.

- Sens tactile : plusieurs revêtements de sol différents, de textures variées.
- Sens visuel : des objets de formes et de couleurs variées, des jouets d'enfants colorés, des balles, des miroirs, des objets en mouvement, une télévision.
- Sens auditif : des enregistrements de sons que l'on entend en ville et à la campagne : des bruits de voiture, des hennissements de chevaux, des beuglements de vaches, des pétarades de tracteur, etc. Brancher une radio en alternance sur une station rock et une station classique est déjà une bonne idée.
- Sens olfactif et gustatif : des mets variés, des parfums, des odeurs d'humains et d'animaux divers.
- Sens multiples et sens social : de nombreux objets, des personnes, des chats, des oiseaux de volière, etc. stimulent tous les sens des chiots.

En somme, vous l'aurez constaté, cette pièce pourrait très bien être la cuisine d'une maison avec des enfants, des jouets d'enfants, des bruits de casserole, une radio, éventuellement un poste de télévision, des odeurs multiples de plats cuisinés, un carrelage ou un tapis au sol et une présence permanente de personnes qui vont et viennent, murmurent, parlent, crient parfois. Une cuisine est une pièce riche. N'en privons pas les chiots…

La socialisation minimalement indispensable

On devrait exiger que le chiot grandisse dans un environnement enrichissant tous ses sens, y compris le sens social. Avant l'âge de 3 mois, le chiot doit obligatoirement rencontrer :

- des chiens de races, tailles et gabarits différents, et jouer avec eux ;
- des enfants d'âges différents et jouer avec eux ;
- des adultes des deux sexes et jouer avec eux ;
- des animaux que l'on ne veut pas qu'il chasse : chats, lapins, volailles, chevaux…
- de façon progressive, des sons musicaux et des bruits discordants, du tintamarre urbain et des cacophonies d'explosions et de feux d'artifice ;
- de façon progressive, une agitation environnante, comme le tohu-bohu de la ville, des marchés et des gares.

Les écoles de chiots

Rassembler les chiots deux fois par semaine pendant une à deux heures dans des lieux protégés ou clôturés, pour leur permettre de s'ébattre, est une occasion extraordinaire. Non seulement ils pourront courir, mais ils auront aussi l'occasion de se familiariser avec de nombreux types de chiens d'âges différents. Sans cela, ils pourraient devenir… racistes. Les chiots qui ne côtoient que certaines races canines de même gabarit ne s'accoutument pas aux autres types de chiens et développent parfois des comportements d'agression ou de crainte devant eux.

Je recommande la présence de chiens adultes dans l'école des chiots. Ce serait une erreur éducative de laisser des chiots s'ébattre seuls sans contrôle. Une chienne ne laisse pas ses chiots seuls très longtemps. La meute est toujours présente à proximité et les adultes interviennent pour régler les conflits naissants et contrôler les mouvements et les morsures. Voilà pourquoi je conseille la présence d'un chien adulte bon éducateur – équilibré et dominant – pour 5 à 10 chiots. Ce chien adulte sera mâle ou femelle, peu importe.

Âge d'acquisition et socialisation

Le chiot acquis à 7 semaines doit être socialisé jusqu'à 3 à 4 mois par ses propriétaires qui l'emmèneront partout.

Le chiot acquis à 3 mois ou plus doit avoir été socialisé avant l'acquisition.

Un chiot ne devrait jamais être acquis avant l'âge de 6 à 7 semaines. Nous verrons pourquoi dans un prochain chapitre. Une seule exception : la présence d'une chienne ou d'un chien bon éducateur dans le milieu de développement jusqu'à, au moins, l'âge de 7 semaines.

Comment traiter le syndrome de privation

Après avoir posé un diagnostic correct de phobie ou d'anxiété – et pour cela une consultation chez un vétérinaire comportementaliste est nécessaire –, on peut envisager de traiter.

Mon approche est très pragmatique. En voici les principes :
• redonner au chien un état de bien-être à l'aide de médicaments ;
• améliorer les performances éducatives et l'adaptation au milieu ;
• réduire les nuisances qu'il peut provoquer dans la famille ou en société ;
• supprimer les solutions spontanées qui aggravent le problème ;
• encourager les solutions spontanées qui améliorent la situation ;
• réduire l'invalidité du chien.

Toutes ces procédures doivent être réalisées dans un temps précis, le temps que le système familial se donne pour améliorer la situation ou obtenir la guérison. Cela prendra-t-il un mois, trois mois, six mois ? Tous ces critères font que la stratégie de traitement varie d'un chien à l'autre et d'une famille à l'autre. Et le traitement est double : on traite à la fois l'animal et son milieu.

Dans un syndrome de privation, l'animal phobique ou anxieux possède une structure cérébrale déficiente. Il est urgent de le traiter vite et bien. On ne peut pas attendre dans l'espoir que les choses évoluent favorablement avec le temps. Ce serait une grave erreur. Le traitement d'un syndrome de privation prend entre 2 et 3 mois pour une simple phobie, et prend 1 an et plus pour des anxiétés graves. Dans ce dernier cas, le chien reste avec des signes mineurs et supportables de désadaptation.

L'usage de médicaments

Quand je le juge nécessaire, je recours à l'utilisation de médicaments. Le médicament est indiqué pour accélérer la guérison et pour faciliter les apprentissages. Il n'est nullement question ici de médicaments sédatifs qui « droguent » le chien. Tous les traitements médicamenteux seront pertinents. L'homéopathie est très efficace, quand elle est prescrite de façon appropriée. Des médicaments comme *Ignatia, Natrum-muriaticum, Lycopodium* et *Phosphorus* sont les plus fréquemment recommandés, mais tous sont prescrits suivant les lois homéopathiques d'individualisation.

En médecine classique, les médicaments ont fait de tels progrès que je n'hésite plus à les prescrire même à des chiots de 3 mois. C'est bien entendu le rôle du vétérinaire de les prescrire en fonction des symptômes de l'animal et des buts à atteindre.

Après la prescription du médicament, on évalue ses effets dans les 4 semaines suivantes. Il est fréquent de changer le médicament pour des raisons de stratégie de traitement et pour travailler sur d'autres chimies cérébrales.

Les thérapies

Si la médication engendre parfois des améliorations spectaculaires et rapides, c'est à la thérapie d'en assurer la stabilisation. Pas de traitement sans thérapie.

L'habituation

La première thérapie et la plus simple est l'habituation.

L'habituation est la diminution de réaction comportementale devant un stimulus présenté de façon répétitive à même intensité.

C'est un processus normal. Il ne demande aucune connaissance scientifique, aucune technique. Il suffit d'empêcher le chien de fuir et de le laisser être exposé au stimulus sans interaction.

Voici un exemple pour illustrer l'habituation. Le chiot a été acquis à 4 mois. Il vient d'un élevage tenu par une femme très douce. Il n'a jamais rencontré d'homme dans sa courte vie. Il a été acquis par la propriétaire, emmené à la maison et, à la vue de son conjoint, le chien s'est enfui et s'est caché derrière un fauteuil. Puis il a disparu dans une autre pièce. Après un mois, il reste à distance de l'homme, fuyant dans une autre pièce dès que possible. Il s'agit d'un syndrome de privation, manifesté par une phobie simple.

Le chiot ne s'est pas habitué tout seul. Un traitement médical peut débloquer la situation et il va ensuite s'habituer à la présence de l'homme. Mais pour cela, il faut que l'homme se trouve dans la maison, en présence du chien, et que le chien ne puisse pas partir dans une autre pièce. Il faut donc fermer les portes. L'homme ne doit pas être menaçant ni s'approcher du chiot pour le toucher. Il doit rester dans l'environnement sans regarder, toucher ou parler au chiot. Il ne doit pas chercher l'interaction.

L'immersion contrôlée

L'immersion n'est rien d'autre qu'une habituation de longue durée en présence d'un stimulus, jusqu'à ce que la réaction émotionnelle et comportementale du jeune chien soit réduite, jusqu'à ce qu'il se détende et s'apaise.

Elle est contrôlée parce que 1) le chien est généralement sous médication, ce qui le rend moins sensible au stimulus et 2) parce que le stimulus est géré et contrôlé afin qu'il ne soit à aucun moment agressant.

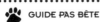

Comme l'explique le graphique ci-dessous, la réaction d'émotion, la crainte, la peur, le rythme cardiaque, la tension interne… tous ces paramètres augmentent d'abord en présence du stimulus.

Je reprends mon exemple du chiot de 4 mois qui a peur des hommes. En présence d'un homme, le chiot a peur. Sa réaction émotionnelle augmente et il met en place les comportements qui vont réduire cet état de tension désagréable. Il fuit et augmente ainsi la distance entre lui et l'homme. Dès lors, il se sent mieux. Il a donc appris que fuir, s'échapper, était efficace.

Mais si on l'empêche de fuir, sa tension émotionnelle va augmenter. Il va se sentir mal. Après un temps, peut-être une demi-heure, peut-être trois heures, il ne se sentira plus aussi mal. La tension émotionnelle arrête d'augmenter, elle se stabilise. Ensuite, elle diminue. Le chiot se sent mieux. Et pourtant, l'homme est toujours dans son environnement.

La tension émotionnelle augmente, se stabilise, puis décroît avec le temps. C'est ce qui est indiqué par la ligne en trait plein sur le graphique.

La seule difficulté, pour vous comme pour moi, c'est que nous ne pouvons pas deviner en combien de temps le chien va se sentir mieux. Il faut en faire l'expérience.

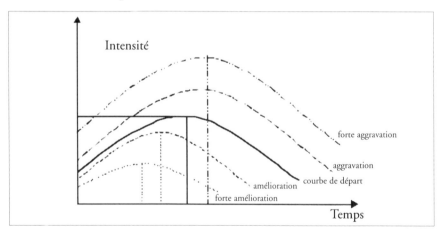

Évolution dans le temps de l'intensité de la réaction émotionnelle
d'un chien confronté en permanence au même stimulus.

Si le chien échappe au stimulus, ou si le stimulus disparaît de l'environnement avant que le chien ne se sente mieux, la prochaine fois que le chiot rencontrera le stimulus, la tension émotionnelle montera plus vite et restera élevée plus longtemps. C'est le processus de sensibilisation (ligne de traits au-dessus de la ligne pleine). Dans ce processus, la réaction est aggravée en présence du stimulus.

Pour que l'habituation prenne place, il faut que le stimulus reste présent dans l'environnement jusqu'à ce que le chien se sente mieux en sa présence (état de relâche). C'est une condition obligatoire pour effectuer cette thérapie correctement, sinon vous risquez une aggravation du problème, ce qui est spontanément le cas dans l'évolution de cette pathologie. L'amélioration est indiquée par la ligne de traits sous la ligne pleine dans le graphique.

À quoi reconnaît-on un état de relâche ?

Le chien perd progressivement la posture basse pour reprendre une posture neutre. Il tremble moins, il réoriente les oreilles vers l'avant, il perd son état d'hypervigilance dans lequel il guettait le stimulus comme si sa survie en dépendait. Sa queue se décolle progressivement de l'abdomen pour reprendre une position neutre.

L'immersion contrôlée est extrêmement efficace pour les chiens qui ont peur du tapage urbain, des marchés ou des gares. Il suffit de promener le chien dans l'environnement en question – en commençant par les heures de moindre affluence – le temps nécessaire pour que le chien se relâche. Mais cela peut prendre 3 à 5 heures. Dès lors, pour que cette thérapie soit possible, il faut la programmer dans son agenda, de préférence une journée de beau temps (en milieu extérieur) et apporter un bon livre (par exemple, ce petit guide !) au cas où il serait nécessaire de rester quelques heures dans un parc ou une gare.

La désensibilisation

C'est l'habituation par exposition graduelle de l'individu, en état de relâche, à un stimulus d'intensité croissante.

Cela veut dire que l'on doit travailler :

- sur l'individu pour provoquer un état de relâche – ce qui est aisé avec des médicaments, mais aussi avec un excellent repas, avec un jeu distrayant, etc.
- sur le stimulus qui engendre la peur, en le réduisant en intensité.

Tous les stimuli ne se prêtent pas à une modulation de leur intensité. Mais on peut travailler sur :

- l'intensité d'un son ;
- la distance par rapport à un objet, une personne ou un animal ;
- la taille d'un objet, d'une personne, d'un animal ;
- la décomposition d'un stimulus complexe en éléments plus simples.

Par exemple, l'orage est constitué de flashes lumineux, de bruits d'explosion, d'assombrissement du ciel et d'ionisation positive de l'air. On peut habituer le chien séparément aux flashes photographiques, aux bruits du tonnerre par disque compact de bruitage, à l'assombrissement du ciel en fermant les tentures. Seule l'ionisation de l'air nous pose problème.

Le disque de bruitage est intéressant pour de nombreux bruits : des coups de feu, des feux d'artifice, une sonnerie de téléphone, des cris d'enfants, etc.

La règle est d'exposer le chien au stimulus quasiment imperceptible au départ. Le chien montre un petit peu de vigilance puis se relâche. Ce n'est qu'à ce moment qu'on se permet d'augmenter l'intensité du stimulus. Et ainsi de suite, incrément par incrément, tout doucement, jusqu'à obtenir l'intensité de la vie quotidienne.

La désensibilisation peut se faire au cours d'une journée, en continu du matin au soir, mais aussi par séances de 15 minutes, 1 à 3 fois par jour. Plus souvent on la réalise, plus vite se fait la thérapie.

Pour la désensibilisation à des personnes, je recommande que la personne s'accroupisse, garde le regard détourné du chien, tende une main garnie d'une nourriture appétissante vers l'animal et attende que le chien vienne de lui-même au contact de la personne.

Dès que le chien vient régulièrement au contact de la personne, pendant que le chien vient chercher l'aliment, la personne peut regarder le chien sur le dos (le garrot, la croupe) pendant une seconde, puis détourner le regard de nouveau. Et ainsi de suite, en augmentant progressivement le temps de contact oculaire.

Ensuite, la personne peut se redresser progressivement, jusqu'à garder une posture debout.

La thérapie par le jeu

Profiter de la construction des relations sociales qui peut se produire dans un jeu à deux est un des buts de la thérapie par le jeu. L'autre intention stratégique est d'élever le niveau d'excitation et de concentration du chien pour lui permettre d'être distrait par l'environnement. C'est à ce moment que l'on introduit dans l'environnement de subtils changements, que l'animal assimilera quasiment à son insu.

Pratiquement, comment fait-on? Prenons l'exemple d'un jeu de balle, engagé dans l'appartement. Le chien s'excite, va chercher la balle, la ramène. Une fois bien dans le jeu, une tierce personne introduit le stimulus (un bruit, une personne, un aspirateur, etc.) dans la pièce. Le jeu continue. On envoie la balle à proximité du stimulus. Quand le chien se détourne de la balle pour explorer le stimulus, le propriétaire reste indifférent et concentré sur le jeu de balle, mais ne distrait pas le chien de son exploration.

L'apprentissage par imitation

Le chien apprend par imitation. Les chiots imitent leur mère, première éducatrice.

Dans la prévention du syndrome de privation, si l'éleveur a sélectionné une mère craintive, il est important que celle-ci ne transmette pas ce comportement à ses chiots. S'il s'agit d'une crainte des humains inconnus, lors de visites de socialisation, il faut retirer la mère du milieu de rencontre et laisser les chiots jouer librement avec les grandes personnes et les enfants.

Apprendre par imitation nécessite un don d'observation, de représentation mentale et de reproduction, mais aussi un attachement entre l'imitateur et l'imité. Dans le cas d'un chien peureux, phobique ou anxieux, un autre chien équilibré, non peureux, peut jouer le rôle de professeur et entraîner le chien peureux à rencontrer l'objet de ses craintes. C'est ainsi que des chiens craintifs supportent plus aisément de sortir dans la rue, dans des marchés et dans les gares – des lieux qui, pour eux, sont effrayants et détestables – lorsqu'ils sont accompagnés d'un chien ami qui leur montre l'exemple. Le chien professeur devient un chien thérapeute.

Le jeune chien tornade

Igor

Igor a 6 mois. Il est vigoureux. C'est le moins que l'on puisse dire. Il saute par-dessus le divan et sur la table de la salle à manger. Il ne tient pas en place, même pas la nuit. Il demande à jouer dès 5 heures du matin et ne se couche que vers minuit. Il n'est pas encore propre. Pour manger, il n'y a aucun problème. Au contraire, il mange beaucoup et pourtant il reste mince. On l'a acheté à l'âge de 12 semaines. Il avait 11 frères et sœurs et, à 4 semaines, on les avait séparés de la maman qui était épuisée. Docteur, qu'est-ce qu'il faut faire maintenant ? Nous ne dormons plus depuis 3 mois. Nous ne vivons plus.

Activité, suractivité, hyperactivité

Selon les pays et les langues, les mots changent de sens. Tout le monde s'entendrait pour appeler Igor « chien tornade » ou « chien terroriste », mais pas « chien hyperactif ». Alors peu importe les définitions que vous trouverez dans la littérature scientifique des vétérinaires comportementalistes, voici ma définition du mot hyperactivité chez le chien.

C'est une pathologie définie par l'hypertrophie de l'activité motrice, la quasi-incapacité d'arrêter spontanément une activité, sauf par épuisement, par l'absence du processus d'habituation ou l'inaptitude à apprendre par les méthodes d'apprentissage usuelles. L'ensemble de ces symptômes interfère avec l'activité normale et sociale.

D'où vient l'hyperactivité chez le chiot ?

Un chiot ne naît pas hyperactif, il le devient au moment où il devrait apprendre à contrôler ses mouvements. Et cela se passe entre 4 et 8 semaines.

Il y a des lignées de chiens hyperactifs. Ce n'est pas que l'on soit hyperactif de père en fils, de mère en fille, mais un certain pourcentage de la portée donne des chiots hyperactifs. Il est indispensable que les éleveurs sélectionnent des reproducteurs calmes, capables de se contrôler.

Le chiot doit apprendre à contrôler :
• sa motricité volontaire,
• l'intensité de ses morsures.

Le contrôle de la motricité

Les chiots de 5 semaines se poursuivent l'un l'autre. Ils gambadent, crient, gesticulent et courent dans tous les sens. À un moment qu'elle juge opportun, la mère choisit un chiot, le poursuit, vient sur lui, semble l'attaquer. Gueule ouverte, elle saisit la tête entière du chiot ou une partie de son crâne, le happe par le cou ou les oreilles, le pince. Le chiot hurle, pousse un «kaï» retentissant et s'immobilise quelques secondes. La mère relâche son rejeton qui s'ébroue et se relance dans le jeu. Elle reproduit le même acte éducatif dans les quelques secondes qui suivent ou plus tard dans la journée. Progressivement, elle provoque chez le chiot un arrêt du jeu, l'adoption d'une position couchée (sur le ventre) inhibée de plus en plus longue et qui atteindra finalement plus de 30 secondes à une minute.

L'apparente violence de cette manipulation est contredite par l'attrait du chiot vers sa mère. Après le «kaï» et l'immobilisation, le chiot se lance à la poursuite de sa mère. Cette technique éducative n'engendre aucune peur. Pourquoi? Parce que la mère n'y met pas d'autre émotion que celle du jeu; il n'y a en fait aucune agressivité.

Cette éducation se poursuit jusqu'à l'âge de 3 à 4 mois, alors que le chiot est censé avoir acquis un bon contrôle de sa motricité.

D'autres chiens adultes peuvent remplacer la mère et se charger d'apprendre l'autocontrôle aux chiots.

Le contrôle de la morsure

Tous les chiots ne naissent pas avec le même contrôle des morsures. Au cours des jeux de combat, le chiot inflige à ses semblables des morsures au cou, à la face et aux oreilles. Ces morsures, faites par des dents de lait pointues comme des aiguilles, sont douloureuses. Le chiot mordu crie. Ensuite, il inverse la situation à son avantage et mord à son tour. Ces morsures réciproques, accompagnées de cris de douleur, permettent à chacun des chiots de contrôler l'intensité de sa morsure et d'apprendre à inhiber celle-ci. Cette inhibition du mordant s'acquiert avant l'éruption des dents adultes et avant l'entrée dans la hiérarchie des adultes, c'est-à-dire avant l'âge de 4 mois environ. Le jeu de combat disparaît alors pour faire place au monde sérieux des conflits hiérarchiques.

Si les jeux de morsures ne se régulent pas d'eux-mêmes, la mère intervient comme dans les jeux de poursuite.

L'absence des autocontrôles

Les jeux, les courses, les bousculades, les mordillements et les morsures, les vocalises (aboiements), toutes ces activités motrices volontaires doivent être sous l'influence du centre de contrôle, de l'interrupteur cérébral. Imaginez un chien qui aboie 10 heures par jour, qui demande à jouer à 3 heures du matin, qui est distrait par un papillon au moment d'un exercice requérant sa concentration, qui élimine quand le besoin s'en fait sentir… Vous avez le parfait tableau d'un chien hyperactif dont les performances au travail seront médiocres et dont la présence comme chien de famille sera une nuisance.

Autocontrôle et absence d'apprentissage

L'autocontrôle, c'est-à-dire l'inhibition ou l'arrêt d'un comportement, est une des clés de la socialisation et de l'habituation. La capacité de s'habituer à un stimulus qui se répète est basée sur l'inhibition. Elle permet à l'individu de ne pas réagir à la moindre modification, même mineure, de l'environnement.

Imaginez un chien qui réagirait chaque fois qu'on ouvre une porte, sans qu'une récompense soit en jeu. Après avoir entendu la porte s'ouvrir quelques dizaines de fois, disons en une heure par exemple, ce chien ne devrait plus avoir de réaction. Si le chien n'a pas appris à se contrôler, il est tout à fait possible qu'il réagisse encore. Cela représente pour l'organisme une perte d'énergie considérable.

Imaginez maintenant que le chien aboie lorsqu'un oiseau chante ou traverse le ciel. Après plusieurs heures, plusieurs jours de cette activité non contrôlée, quel sera l'état des humains dans son environnement?

Imaginez enfin que ce chien n'ait pas été correctement socialisé aux humains et craigne les gens. À chaque rencontre avec un inconnu, le voilà qui tente de fuir. À la moindre tentative de contact, il se défend et menace de mordre. Impossible pour lui d'apprendre, car il ne peut se contrôler.

Le chien sans autocontrôle est aussi hypersensible. Il réagit à toute information et s'habitue très mal et très lentement à son environnement.

Impulsivité et agressivité

L'impulsivité est la capacité de réagir extrêmement rapidement, comme dans un réflexe. L'impulsivité est pure émotion, pure réaction.

Pas le temps de réfléchir, le chien a déjà bondi. Lorsque le chien fait une attaque impulsive, c'est toujours dangereux.

Calme paradoxal

Le chien hyperactif peut se calmer lorsque plus rien ne bouge, lorsqu'il n'y a aucun bruit. Il se calme en appartement hypostimulant. Mais dès qu'il met une patte dehors, il devient agité.

Le chien hyperactif peut aussi se calmer quand il a peur. Un des comportements de la peur est l'immobilisation. Cela peut arriver quand le chien a très peur de sortir, d'aller dans la rue. À ce moment, il est très calme dehors, mais dès qu'il rentre dans l'appartement, il devient agité.

Diagnostic du chien hyperactif

C'est assez simple. Il suffit de déceler les quelques symptômes suivants.

- Le chien (âgé de plus de 2 mois) ne peut contrôler ses morsures; il n'arrête pas de mordiller et il fait mal.
- Le chien est hyperactif; il bouge sans arrêt ou il est prêt à s'engager dans une activité à la moindre demande. Il est *on the go*, prêt à démarrer.
- Le chien est hypervigilant, il regarde tout, voit tout, sait tout ce qui se passe dans la maison. Si nécessaire, il suivra son maître partout.
- Le chien a un processus d'habituation très lent. Il réagit à des informations continuellement présentes dans l'environnement: la sonnerie du téléphone, des bruits de casserole…
- Le chien dort peu pour un chien de son âge. Et souvent, ses maîtres ne le voient pas rêver.

Le chien peut présenter d'autres signes: des souillures (il élimine quand le besoin se présente, trop distrait en promenade pour prendre le temps de s'accroupir), des destructions, des phobies, des mouvements répétitifs comme tourner sur lui-même, etc.

J'ai connu des chiens hyperactifs incapables de s'arrêter et foncer tête baissée dans un arbre au point de s'assommer. J'en ai connus qui se contentaient de moins de 5 heures de sommeil par jour.

Comment évolue le chien hyperactif?

Il y a deux facettes au chien hyperactif: il mordille sans se contrôler et il est très sensible à tout stimulus. Il peut donc évoluer de deux façons:
- du mordillement à l'agression et à l'hyperagressivité;
- de la sensibilité, à la sensibilisation à la phobie et à l'anxiété.

Autant dire que son avenir et celui de ses propriétaires sera problématique.

Peut-il guérir spontanément? Non. Certains éducateurs très compétents mettront 1 an ou 2 de vie et d'éducation au jour le jour pour en faire un chien contrôlable et contrôlé.

Oui, il peut se calmer spontanément, avec le temps, entre 3 et 5 ans. Mais il ne sera pas guéri pour autant puisqu'il aura développé entre-temps de l'agressivité ou de l'anxiété.

Comment traiter le chien hyperactif?

C'est le sujet du prochain chapitre.

Prévenir et traiter l'hyperactivité

Un chien hyperactif est une nuisance pour la famille d'accueil. Et il faut beaucoup de courage, de patience et de tolérance pour vivre avec lui. Attendre que ça passe, comme font beaucoup de propriétaires, conduit le chien tout droit à l'euthanasie, et les propriétaires à des problèmes familiaux.

Prévention

La prévention se base sur :
• la sélection génétique des reproducteurs ;
• l'apprentissage du contrôle de la motricité ;
• l'apprentissage du contrôle de la morsure.

La meilleure façon de procéder est de mettre un chien adulte bon éducateur avec 4 à 5 chiots entre l'âge de 5 semaines et l'âge de 3 mois. Pourquoi ?

Il semble que la chienne, même bonne mère, soit incapable d'éduquer plus de 5 chiots. Les portées plus grandes sont trop épuisantes. D'autre part, dans une lignée où il y a un individu hyperactif, il empêche sa mère de l'éduquer. Il se rebelle, se rebiffe et elle finit par abandonner. Ce chiot n'est que rarement forcé de se coucher sur le dos, de s'inhiber, d'arrêter de bouger. Il est alors intéressant qu'un autre chien prenne la relève.

L'apprentissage du contrôle de la motricité

En l'absence de la mère ou d'un autre chien éducateur, ce sont l'éleveur et l'acquéreur qui doivent prendre le relais éducatif. Les différentes étapes de cette technique éducative sont les suivantes:
- forcer le chiot à s'arrêter;
- le saisir au niveau de la face, de la tête ou du cou;
- le forcer à se coucher;
- rester au-dessus de lui jusqu'à ce qu'il se soit calmé, qu'il ne se débatte plus;
- le relâcher.

Il est interdit de se mettre en colère, de crier ou de frapper.

L'apprentissage du contrôle de la morsure

La peau humaine est plus sensible et moins résistante que la peau du chien. Il convient donc que votre chien apprenne à contrôler encore mieux ses morsures.

Comment faire? Lorsque votre chiot vous mord, vous devez pousser un cri (un «kaï», comme le ferait un chien) et ensuite pincer le chiot au niveau de la peau du cou ou des oreilles, jusqu'à ce qu'il crie. Il est encore plus efficace de le mordre, mais la plupart des gens rechignent à le faire. Si vous ne respectez pas ces consignes, votre chien pourrait, une fois adulte, causer des accidents par morsure forte non contrôlée.

Âge d'acquisition et hyperactivité

L'âge d'acquisition n'est pas un critère fondamental dans le développement du syndrome du chien hyperactif. Le critère fondamental, c'est l'absence d'adultes (chiens ou humains) bons éducateurs. Dès lors, si vous adoptez votre premier chien – disons les choses comme elles sont, si vous êtes néophyte en la matière – à l'âge de 4 semaines, vous courez de grands risques.

Si vous êtes un éducateur chevronné, que vous faites l'acquisition d'un chiot de 4 mois, séparé de sa mère et de tout autre chien adulte depuis l'âge de 4 semaines, vous courez les mêmes risques.

L'âge d'acquisition idéal reste 7 à 8 semaines. Le chiot doit avoir été en permanence avec sa mère ou d'autres chiens adultes bons éducateurs. Vous devez retourner ce chiot sur son dos jusqu'à ce qu'il se calme, 10 fois par jour, jour après jour, jusqu'à ce qu'il soit parfaitement en contrôle de lui et de ses morsures.

Comment traiter l'hyperactivité ?

Mon approche est très pragmatique. En voici les principes :
- réduire rapidement les nuisances qu'il peut provoquer dans la famille ou en société ;
- faciliter l'autocontrôle chez le chien à l'aide de médicaments (activer l'interrupteur cérébral) ;
- redonner au chien un état de bien-être par médicament ;
- supprimer les solutions spontanées qui aggravent le problème (les jeux d'excitation) ;
- encourager les solutions spontanées qui améliorent la situation (les jeux activant l'autocontrôle).

Toutes ces procédures doivent être réalisées dans un temps précis, le temps que le système familial se donne pour améliorer la situation ou obtenir la guérison. Cela prendra-t-il un mois, trois mois, six mois ? Tous ces critères font que la stratégie de traitement varie d'un chien à l'autre et d'une famille à l'autre.

L'usage de médicaments

Après l'âge de 4 mois, je recommande de placer le chiot ou le chien hyperactif sous médication régulatrice. L'interrupteur cérébral étant défectueux, les techniques éducatives seront souvent insuffisantes et il faudra activer l'interrupteur avec des molécules médicamenteuses. En s'y prenant à temps, il est encore possible, entre l'âge de 4 mois et la puberté, de permettre à l'interrupteur de récupérer des éléments de structure. Après la puberté, la récupération devient problématique, sans toutefois être impossible.

Après un diagnostic fermement établi par un vétérinaire comporte-mentaliste, je prescris en général de la sélégiline pour un chiot jeune, de la fluvoxamine quand il est plus âgé, ou d'autres médications en fonction des symptômes et des stratégies de traitement. Chaque spécialiste choisit la médication qui lui donne les meilleurs résultats. Chez le chien de plus de 1 an, largement après la puberté, il faut parfois ajouter des neuroleptiques pour réduire l'impulsivité et l'agressivité du chien.

Le traitement médicamenteux sera poursuivi, avec ou sans modification, jusqu'à ce que le chien arrive à se contrôler. Cela prendra entre 3 mois et 1 an, suivant la chronicité et l'intensité du cas. On ne doit pas arrêter brusquement le traitement médicamenteux. On instaurera une période de sevrage. Il ne faudra pas non plus l'arrêter trop vite, car la récidive est parfois plus malaisée à traiter.

Les thérapies

Une fois sous médication, le chien recommence à apprendre, c'est-à-dire qu'il répond mieux aux techniques habituelles d'éducation. Parfois, on ne demande rien de plus que de faire obéir le chien.

- Le jeune chiot est soumis aux mêmes techniques que celles qui s'appliquent à la prévention : l'apprentissage du contrôle de la motricité et de la morsure.

- Il est logique de supprimer tous les jeux et toutes les techniques qui renforcent le mordant. Le chien a déjà trop tendance à mordiller et surtout, il n'a pas acquis le contrôle de l'intensité de ses morsures. Les jeux de traction, comme tirer sur des chiffons, des jouets, suspendre le chien accroché à un bâton ou pousser à mordiller un «boudin» sont interdits. On ne désire pas encourager ce chien de famille à mordre.
- On arrête tous les jeux qui augmentent l'excitation du chien, au moment où le chien perd le contrôle: extinction.

La technique de l'extinction

C'est un procédé éducatif malheureusement peu utilisé. Il est en fait très efficace, surtout avec un animal social. Que fait l'animal social? Il recherche le contact social. Et ce contact social lui sert parfois de récompense, de facteur de renforcement et d'encouragement.

Si votre chien hyperactif accueille les visiteurs en sautant et en hurlant, c'est parce que ce comportement est récompensé. Ni vous ni les visiteurs ne faites rien de négatif. Mais c'est agréable pour un chien excitable d'avoir de la visite. C'est synonyme de changement, d'enrichissement du milieu de vie, de stimulation.

Que faire alors? Rien, tout simplement rien. La force de cette technique éducative, c'est qu'il ne faut rien faire. Mais s'il ne faut rien faire, il faut bien le faire. Cela vous semble paradoxal?

Reprenons l'exemple. Si le chien est exubérant, vous ne devez lui donner aucun contact social, aucune information sensorielle. Comme il est impossible de ne pas communiquer, vous lui communiquez que vous ne voulez rien lui communiquer. Vous restez:
- silencieux;
- le regard dirigé devant vous, sans regarder le chien. Si votre regard croise celui du chien, regardez à travers lui, comme s'il n'existait pas. Rien ne vous empêche de regarder vos visiteurs;

- les mains dans les poches autant que possible. Le moindre mouvement des mains ou des bras vers le haut ou le côté serait une information. Rien ne vous empêche de serrer la main aux visiteurs ou de les embrasser ;
- sans émotion, ni dans votre visage ni à l'intérieur de vous ; la moindre émotion est une information que le chien peut lire. Vous êtes sans colère, sans joie, sans haine. Vous ne ressentez aucune émotion pour le chien. Mais vous pouvez bien sûr être joyeux d'accueillir vos visiteurs.

En l'absence de toute information pertinente, comment va réagir le chien ?

Au début, il va émettre plus de comportements de communication ou des comportements plus intenses. En effet, si la communication ne passe pas, si vous êtes « sourd » à ses appels, il lui faut donc intensifier la communication, crier en quelque sorte. Cette aggravation va durer une petite semaine.

Si vous restez toujours totalement indifférent, le chien va alors changer de tactique, de technique, de rituel et vous proposer autre chose. À vous alors de saisir votre chance et de façonner le comportement du chien dans la direction désirée.

La thérapie d'autocontrôle par le jeu

Cette thérapie se base sur la technique de l'extinction de l'hyperactivité et de la perte de contrôle ainsi que sur le renforcement positif des phases d'autocontrôle.

Qu'est-ce que cela veut dire ?

On joue avec le chien. Il est excité, mordille… Le jeu s'arrête. L'éducateur (vous) devient totalement indifférent. Le chien se calme. Vous relancez le jeu.

Vous lancez une balle au chien. Le chien est excité, prend la balle, revient avec elle, vous provoque, serre les mâchoires, garde la balle entre

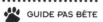

les dents. Le jeu s'arrête. Le chien vient vous provoquer. Vous ne réagissez pas du tout. C'est comme si vous ne voyiez pas le chien. Dépité, le chien s'éloigne. Il lâche la balle. Vous approchez de la balle. Le chien ne vous a pas vu, vous l'appelez, vous lancez la balle. Le jeu reprend. Et ainsi de suite jusqu'à ce que le chien comprenne qu'il lui faut ouvrir les mâchoires (se contrôler et laisser tomber la balle par terre ou dans votre main) afin que le jeu se poursuive.

Le jeune chien délinquant

Ben

Ben a 1 an. Heureusement qu'il est tout petit parce qu'il est très coléreux. Quand les choses ne lui plaisent pas, il attaque, il mord. Ça fait mal. Il fait des trous. Ce ne sont pas des pincettes, croyez-moi. Il mord vraiment. Il le fait depuis toujours. Pourtant, il peut être le plus gentil chien du monde.

Il ne s'est jamais couché sur le dos devant un chien ou devant moi. Il ne perd jamais un conflit. Je l'ai vu fuir une ou deux fois, mais il ne s'est jamais soumis.

Quel est le problème du chien délinquant?

Les gens parlent souvent de chien dominant. Chez un chien, avant la puberté, cela n'a pas beaucoup de sens. En effet, le chiot entre dans la hiérarchie au moment de la puberté. Mais on rencontre des chiens agressifs dès le plus jeune âge.

Leur spécificité, c'est de ne pas respecter les lois du groupe. Je dirais que le chien délinquant ne respecte pas l'éthique – l'ensemble des règles de conduite – des chiens. Particulièrement les lois qui réglementent un conflit et permettent à ce conflit de se terminer par des postures apaisantes. Le délinquant ne connaît pas les postures apaisantes.

Dans le chapitre sur le chien nerveux – hyperactif – j'ai montré comment la mère apprenait à ses chiots à s'immobiliser. Cette technique éducative a une double fonction :
- l'immobilisation ;
- l'apprentissage de la posture de soumission.

L'apprentissage de la posture de soumission

C'est un apprentissage en deux étapes. Pour la première étape, il faut avant tout remonter loin dans l'enfance du chiot nourrisson. Le chiot nouveau-né ne peut excréter s'il n'y a pas une stimulation du périnée. C'est ce que la mère fait à grands coups de langue. Le chiot est couché sur le dos, pattes écartées, immobile.

Quand un chiot est materné par une chienne, le retournement du nouveau-né en position dorsale est quasiment systématique. C'est pourquoi cette posture est si répandue chez les chiens de toutes races. On a longtemps pensé qu'il s'agissait d'une posture innée, inscrite dans la génétique. Il n'en est rien. C'est une posture apprise, développée comme un rituel à partir d'une posture naturelle de maternage.

Lorsqu'un chiot est materné par un être humain depuis sa naissance et que la stimulation périnéale est faite en coucher sur le ventre, il préférera ultérieurement cette position comme position de soumission.

La deuxième étape se déroule après l'âge de 5 semaines, quand la chienne éduque ses chiots à s'immobiliser. Sous la contrainte de la mère, le chiot s'immobilise. Il se couche sur le sol. Dès qu'il est immobile, elle arrête de le taquiner. Le chiot apprend de cette façon comment apaiser sa mère et, plus tard, comment apaiser d'autres chiens adultes ou des humains. Il apprend qu'un conflit peut s'arrêter lorsque l'un des deux acteurs s'immobilise.

Utiliser la posture de soumission, une posture apaisante lors d'un conflit, est une nécessité pour vivre dans un groupe social. Et le chiot délinquant n'a pas appris cette posture.

Caractéristiques du chien délinquant

Il manque au chien délinquant trois clés pour communiquer avec ses congénères : l'immobilisation, le contrôle des morsures et le contrôle de soi. On l'a vu, il ne peut les apaiser lorsqu'il perd un conflit. Si s'immobiliser est impossible, que lui reste-t-il alors comme stratégies ?

Il peut :
- fuir, échapper à son adversaire, aller se cacher ;
- se sentir acculé et exploser en agressant, en raison d'une peur incontrôlée, comme s'il luttait pour sa survie (ce qui pourrait bien être sa représentation des événements).

Le chien délinquant fera de même avec ses propriétaires ou les gens qu'il rencontre. Dès qu'il va sentir une contrainte, il aura tendance à s'échapper ou à agresser.

La deuxième clé qui manque au chien délinquant, c'est le contrôle de ses morsures. Comme il n'a pas appris à s'immobiliser en conflit, il n'a pas appris non plus à contrôler sa mâchoire. Ses morsures font mal. Et dès qu'il perd confiance en lui, lorsqu'on veut le contraindre ou le soumettre, il se défend, se débat et mord.

Il apprend très rapidement que mordre permet d'obtenir satisfaction. On le laisse tranquille. Tout le monde se tient à distance. Il obtient même des privilèges. Il se permet de voler des aliments. Qui pourra l'en empêcher ? Si on essaie, il mord. Il vole des objets ou des vêtements et les déchire impunément.

À la puberté, comme tout chien, il est intéressé par le sexe opposé et tente de se rapprocher.

On voit qu'il est aisé de confondre le chien délinquant et le chien dominant. Tous deux ont des privilèges, tous deux défendent les privilèges acquis. Mais la différence est colossale : le délinquant se situe en dehors des lois, en dehors de la hiérarchie, alors que le dominant ne fait que respecter les lois de la hiérarchie. Le dominant est facile à traiter, pas le délinquant. Le chien délinquant est dangereux.

Impulsivité dans l'agression

La troisième clé manquante chez le chien délinquant est le contrôle de soi. Il est impulsif dans l'agression. Au lieu de communiquer de façon posée et organisée, la communication est impulsive et, dès lors, chaotique. Lorsque deux chiens sont en compétition pour un os, un objet ou l'attention d'une personne, ils résolvent cette compétition par des postures complémentaires haute (dominante) et basse (dominée). S'ils adoptent des postures semblables (symétriques), un conflit est inévitable. Les deux chiens adoptent dès lors des postures hautes et s'excitent progressivement. Ils se font de plus en plus théâtraux, adoptant des mimiques impressionnantes. Le but est bien d'impressionner son vis-à-vis. Le chien découvre ses crocs, entrouvre la gueule et grogne sourdement. Si tout ce théâtre de menaces est inefficace, il se résout à attaquer. Gueule ouverte, le chien attaque son adversaire sur la partie antérieure du corps. Il serre les mâchoires sur ce qu'il trouve, généralement la peau abondante du cou. Il fait une prise et cherche à immobiliser l'adversaire. Comme au judo, le premier qui tombe et reste immobile a perdu le conflit. Il apaise le vainqueur, qui stoppe immédiatement de serrer les mâchoires et il se redresse lentement. Le vainqueur obtient le privilège, l'objet ou quoi que ce soit d'autre à l'origine de la dispute.

Le chien délinquant est incapable de coordonner ces séquences. Il fait tout en même temps. Il grogne et mord dans la même seconde. Il peut mordre et grogner après. Il est chaotique. Ses congénères ne le comprennent pas et apprennent très vite – comme ses maîtres d'ailleurs – à l'éviter. Le chien délinquant est isolé dans son groupe social.

Diagnostic du chien délinquant

Pour établir un diagnostic de délinquance, le chien doit présenter :
- une absence de la posture de soumission chez un chien âgé de plus de 3 mois ;

- une morsure forte, non contrôlée ;
- une agression impulsive, avec menace et attaque simultanées.

On peut y ajouter les vols d'aliments et d'objets, des agressions à l'encontre des chiens du même sexe, etc.

Il n'y a pas de symptômes d'exclusion. L'attachement exagéré à un membre de la famille, l'hyperactivité, la phobie, l'anxiété, le syndrome de privation, etc. n'excluent pas un tel diagnostic.

Une délinquance partielle est-elle possible ?

Un chien peut-il se soumettre aux chiens et pas aux humains ? Ou aux humains et pas aux chiens ? La réponse est oui ; j'en ai connus plusieurs. Comment expliquer ce phénomène ?

Si le chien a vécu une période de socialisation en l'absence quasi totale d'une des espèces, l'homme ou le chien, il peut très bien ne pas reconnaître cette espèce ou ne pas lui transférer les modes de communication appris de l'espèce avec laquelle il a vécu.

La situation la plus fréquente entraînant une délinquance partielle est l'adoption d'un chiot nouveau-né par des gens en l'absence totale de chiens. L'apprentissage de la posture de soumission ne se fait pas du tout. Parfois, le chien s'inhibe en posture basse – accroupi ou couché sur le ventre – en présence des gens avec lesquels il a vécu, mais pas en présence des chiens.

S'il y a un seul chien dans l'environnement de développement, il est possible que le chiot apprenne la posture de soumission vis-à-vis de ce chien et des gens avec lesquels il vit, mais qu'il ne la généralise pas aux autres chiens.

La terminologie scientifique

Patrick Pageat, qui a décrit cette pathologie, l'a nommée « dyssocialisation primaire ». On peut rapprocher le chien délinquant du sociopathe humain, terminologie populaire et désuète, remplacée aujourd'hui par personnalité antisociale.

Comment traiter le chien délinquant ?

C'est le sujet du prochain chapitre.

Prévenir et traiter la délinquance

Un chien délinquant – dyssocialisé – est un danger et une nuisance pour la famille d'accueil. Et il faut beaucoup de courage, de patience et de tolérance pour vivre avec lui. Attendre que ça passe, comme font beaucoup de propriétaires, conduit le chien tout droit à l'euthanasie et les propriétaires à de sérieux problèmes familiaux.

Prévention

Elle est tout à fait comparable à celle du chien hyperactif.
Elle va se baser sur :
• l'apprentissage de la posture de soumission ;
• l'apprentissage du contrôle de la morsure.

La meilleure façon de procéder est de mettre un chien adulte bon éducateur avec 4 à 5 chiots entre l'âge de 5 semaines et l'âge de 3 mois. J'ai expliqué pourquoi dans le chapitre précédent.

L'apprentissage de la posture de soumission

En l'absence de la mère ou d'un autre chien éducateur, ce sont l'éleveur et l'acquéreur qui doivent prendre le relais éducatif. Les différentes étapes de cette technique éducative sont comparables à celles pour éduquer le chien hyperactif :
• forcer le chiot à s'arrêter ;
• le saisir au niveau de la face, de la tête ou du cou ;

- le forcer à se coucher sur le ventre, sur le côté ou sur le dos ;
- le maintenir dans cette position, malgré ses tentatives de fuite et d'agression, jusqu'à ce qu'il se soit calmé, qu'il ne se débatte plus ;
- le relâcher.

Il est interdit de se mettre en colère, de crier, de frapper. Il faut répéter cette procédure 10 à 30 fois par jour et la faire exécuter par tous les membres de la famille.

L'apprentissage du contrôle de la morsure

Vous pouvez utiliser la procédure conseillée dans le chapitre 5. Mais elle ne sera généralement pas suffisante. C'est pourquoi vous devez recourir à la technique ci-dessus.

L'éducation en groupe

Il est intéressant de lâcher un chiot dans un endroit clôturé ou fermé en présence de chiens adultes bons éducateurs. Cela permettra au chiot délinquant de subir les techniques d'éducation de la part d'un ou de plusieurs chiens adultes et de se structurer dans un groupe social.

Âge d'acquisition et délinquance

L'âge d'acquisition n'est pas un critère fondamental dans le développement du syndrome du chien dyssocialisé. Le critère fondamental, c'est l'absence d'adultes (chiens ou humains) bons éducateurs.

L'âge d'acquisition idéal reste 7 à 8 semaines. Le chiot doit avoir été en permanence avec sa mère ou avec d'autres chiens adultes bons éducateurs. Vous devez le retourner sur le dos jusqu'à ce qu'il se calme, 10 fois par jour (ou plus), jour après jour, jusqu'à ce qu'il connaisse la posture apaisante de soumission, qu'il soit parfaitement en contrôle de lui et de ses morsures.

Danger!

Le chien délinquant – dyssocialisé – est un danger qu'il faut considérer objectivement. Un petit chien dyssocialisé peut vivre dans un environnement d'adultes responsables. Mais un chien de grande race, de grand gabarit, peut être un danger mortel.

J'ai l'habitude de dire – et ce n'est absolument pas objectif et démontré scientifiquement – qu'un chien peut être physiquement maîtrisé par un humain de quatre à cinq fois son poids. Je parle de maîtrise physique en cas de conflit agressif, pas de maîtrise morale ou de dominance. Un chien délinquant ne peut pas être maîtrisé ni dominé moralement. Il est en dehors des règles hiérarchiques. Dès lors, seule la supériorité physique est possible. Tenez compte des calculs suivants :
- un chien de 10 kg – un humain de 50 kg
- un chien de 20 kg – un humain de 100 kg

Des adultes peuvent vivre – survivre – avec un chien de 10 kg, mais les enfants sont en danger.

Pour des personnes âgées invalidées ou des enfants de moins de 5 ans, il faut doubler le risque de dangerosité et envisager un rapport de poids de 1 pour 8 à 10.

Avant de traiter...

Une fois le diagnostic de dyssocialisation fermement établi par un vétérinaire comportementaliste, il faut se poser les questions suivantes :
- Le chien est-il dangereux ?
- Allons-nous le traiter ?
- Puis-je prendre cette responsabilité ?

Si l'une de ces questions n'a pas de réponse satisfaisante, il faut envisager l'euthanasie. Je ne suis pas très enclin à proposer l'euthanasie, sauf pour les chiens objectivement dangereux. Le travail de vétérinaire comportementaliste est, aussi et avant tout, de pouvoir garantir la sécurité des personnes qui vivent près du chien.

Comment traiter le chiot délinquant ?

À l'âge de 3 mois, quand le diagnostic est posé, on peut se contenter d'utiliser les techniques recommandées en prévention.

Ou le plus simple – en théorie, mais c'est plus compliqué à réaliser en pratique –, c'est de confronter le chiot de 3 mois et un chien adulte de grosse taille, dominant et équilibré. L'adulte va éduquer le chiot et le saisir par le cou, le retourner, jusqu'à épuisement du chiot, jusqu'à ce qu'il comprenne. Le problème est alors résolu en quelques heures ou quelques jours.

L'usage de médicaments

Dès l'âge de 3 à 4 mois, je recommande de placer le chiot ou le chien délinquant sous médication régulatrice. Tout comme pour le chien hyperactif, il faut faciliter le fonctionnement de l'interrupteur cérébral défectueux, afin de donner au chien plus de contrôle sur ses morsures et sur l'organisation des séquences comportementales. Les techniques éducatives sont souvent insuffisantes – et exténuantes pour les propriétaires, sans l'aide d'éducateurs spécialisés – et il faudra activer l'interrupteur avec des molécules médicamenteuses. En s'y prenant à temps, il est encore possible, entre l'âge de 4 mois et la puberté, de permettre à l'interrupteur de récupérer des éléments de structure.

Le choix des molécules est vaste. La médication sera choisie en fonction des symptômes et des stratégies de traitement. Chaque spécialiste choisit la médication qui lui donne les meilleurs résultats. Chez le chien de plus de 1 an, largement après la puberté, il faut parfois ajouter des neuroleptiques pour réduire l'impulsivité et l'agressivité du chien.

Le traitement médicamenteux sera poursuivi, avec ou sans modification, jusqu'à ce que le chien prenne des postures apaisantes, structure ses comportements d'agression et arrive à se contrôler. Cela prendra entre trois mois et un an, suivant la chronicité et l'intensité du cas. On ne doit pas arrêter brusquement le traitement médicamenteux. On instaurera une période de sevrage. On ne l'arrêtera pas non plus trop vite, car la récidive est parfois plus malaisée à traiter.

Les thérapies de contrôle

Certaines thérapies sont comparables à celles utilisées pour le chien hyperactif.

- Le jeune chiot est soumis aux mêmes techniques que pendant la prévention : l'apprentissage de la posture de soumission et du contrôle de la morsure. Le chien adulte de petite taille peut aussi être soumis à la contrainte en posture de soumission.
- Tous les jeux et toutes les techniques qui renforcent le mordant sont supprimés. Les jeux de traction comme tirer sur des chiffons, des jouets, suspendre le chien accroché à un bâton ou pousser à mordiller un « boudin » sont interdits. On ne désire pas encourager ce chien de famille à mordre.
- On arrête tous les jeux qui augmentent l'excitation du chien au moment où le chien perd le contrôle : extinction.
- Thérapie d'autocontrôle par le jeu (voir chapitre 5).

Les réductions de privilèges

D'autres thérapies sont comparables à celles utilisées pour un chien dominant. C'est-à-dire qu'on supprime au chien l'accès à certains privilèges :

- le chien regarde manger ses maîtres et mange après eux, en un temps limité de 5 minutes (ensuite sa gamelle est retirée) ;
- le chien n'a aucun accès au contact social (caresses) à sa demande, seul le propriétaire décide.

L'apprentissage de la tolérance au contact

Comme le chien n'a pas de respect pour les règles sociales, mais qu'il est capable d'apprendre, on peut utiliser un apprentissage différentiel.

S'il est agressif à la moindre contrainte, au contact imposé (non désiré, non demandé de sa part), voici la marche à suivre :
- la personne s'accroupit, détourne le regard ;
- elle tend sa main garnie d'une nourriture appétissante et attend que le chien vienne de lui-même au contact de la personne ;
- dès que le chien vient régulièrement chercher l'aliment, la personne peut toucher le chien sur le poitrail pendant une seconde ;
- elle augmente progressivement le temps de contact ;
- elle touche et caresse le chien de l'avant à l'arrière ;
- elle augmente de nouveau progressivement le temps de contact ;
- elle peut se redresser progressivement, jusqu'à garder une posture debout.

Limites

Le chien délinquant – dyssocialisé – est un chien dont il ne faut pas négliger ni sous-estimer le potentiel dangereux. Le chien n'existe pas seul, par lui-même. Il vit dans un milieu, une famille, et c'est elle qui court le plus grand risque. La décision de le traiter n'appartient pas au vétérinaire, mais à la famille qui doit, avant tout, calculer les enjeux.

Le jeune chien dépendant

Belle

« Belle est terriblement affectueuse. Elle est très attachée à moi, dit sa maîtresse, et ne supporte pas de rester sans moi. » Et je comprends, dans la façon dont la maîtresse me raconte tout cela, qu'elle apprécie l'amour de sa chienne et que l'attachement est réciproque. Le seul problème, c'est que Belle doit parfois rester seule et qu'à ce moment, elle hurle son malheur.

Quel est le problème du chien dépendant ?

La dépendance est un excès d'attachement, un hyperattachement. Pour interpréter cet hyperattachement, il faut d'abord savoir ce qu'est l'attachement et sa fonction biologique.

Il est impossible de ne pas faire d'attachement

L'attachement, c'est un lien apaisant privilégié avec un être ou un objet familier. Il n'y a pas d'attachement sans familiarité, pas de familiarité sans présence. L'attachement permet la construction de l'être social. L'absence de l'objet d'attachement est angoissante.

Le chien dépendant développe des tensions émotionnelles lorsqu'il est séparé de l'être d'attachement. Il est craintif, peureux, phobique ou anxieux. Le stimulus déclencheur est objectif, réél : c'est l'absence. Pas l'absence de n'importe qui, l'absence de l'individu apaisant. Parfois il n'y a qu'un individu apaisant, une personne, un animal. D'autres fois, le chien a évolué et est apaisé par plusieurs personnes. C'est alors l'isolement, la solitude, qui pose problème.

Le chien, un être social avant tout

Le chien, comme l'être humain, est avant tout un être social. Il doit vivre en compagnie d'autres êtres. Vivre seul, c'est ne pas vivre.

Parmi les êtres ou les objets avec lesquels le chien vit, certains deviennent empreints d'une valeur toute particulière et leur absence prolongée entraîne une détresse. On peut mesurer l'intensité de l'attachement à l'intensité de la détresse du chien provoquée par l'absence de l'être ou de l'objet d'attachement.

Tout comme l'enfant humain est attaché à ses parents et les parents à leurs enfants, le chiot est attaché à sa mère et la mère à ses chiots. Le chien s'attache à ses adoptants et les gens s'attachent à leur chien. Ce n'est pas juste une notion intellectuelle, c'est quelque chose de fondamental, de biologique, qui se vit dans l'émotion. C'est pourquoi la présence de l'être ou de l'objet d'attachement apaise et que son absence angoisse. C'est purement émotionnel, irréfléchi.

S'attacher est aussi nécessaire pour vivre que manger et boire.

Quand l'être d'attachement disparaît, on vit une phase de détresse, puis on s'attache à un autre être. Et la vie peut continuer. Si on ne reconstruit pas un attachement, on s'arrête en quelque sorte de vivre. Et vivre la phase de détresse et sa guérison, c'est en quelque sorte vivre un processus de deuil.

Un chiot sans attachement va dépérir ou mourir. Un chien sans attachement va déprimer. On peut être malade de trop d'attachement et de trop peu d'attachement. L'équilibre est très fragile.

Histoire naturelle du développement de l'attachement

Voici quelques éléments sur l'histoire naturelle de l'attachement. Au début était l'attachement…

À la naissance, la mère s'attache à ses chiots. Les chiots sentent et touchent leur mère. Puis, ils la voient et l'entendent. Ils la définissent comme un être à part, séparé. Ils se familiarisent et s'y attachent. L'attachement est désormais réciproque.

Le chiot grandit, ses dents de lait apparaissent, et la mère s'éloigne ou écarte ses chiots de ses mamelles endolories. À distance de la mère, ils apprennent à s'attacher les uns aux autres. L'attachement va désormais dans de multiples directions. D'autres adultes apparaissent dans leur vie et leur présence continue les aide à se familiariser. Mais il reste tout de même une relation privilégiée avec la mère.

À proximité de la puberté, la mère décide que cette relation privilégiée doit s'arrêter et elle chasse ses adolescents devenus concurrents. L'attachement privilégié à la mère est cassé activement par l'adulte. C'est indispensable, car cet attachement apaise mais rend infantile. Sans détachement de la mère, le chiot ne deviendra pas adulte. Être adulte, c'est produire des hormones et être capable de vivre de façon autonome. Mais comme il est impossible de ne pas faire d'attachement, l'adolescent s'attache à son groupe social. Il entre dans un groupe hiérarchisé. Désormais, il est un «presque-adulte».

Histoire du développement de l'attachement en famille d'accueil

Quand le chiot est adopté par une famille, il doit faire le deuil de sa mère et de ses frères et sœurs, et propriétaires d'origine. Ce stress violent favorise l'attachement à un nouvel être, l'adoptant. Ce processus prend quelques jours pendant lesquels le chiot exprime sa détresse par des vocalises, des pertes d'appétit, des diarrhées, tout en créant déjà un nouvel attachement à ses adoptants. Et la vie reprend.

Le chiot s'attache à plusieurs membres de la famille – à tous, on l'espère – et à la puberté, il produit des hormones et est inclus dans la hiérarchie de la famille. Le jeune chien devient plus autonome et gère la solitude temporaire sans difficulté.

Mais, à l'approche de la puberté, les choses peuvent se gâter si l'adulte ne provoque pas le détachement et si le chiot garde un attachement privilégié avec un membre de la famille. La maturité sexuelle n'arrive pas, le jeune chien reste infantile, il ne s'intègre pas dans la hiérarchie, son développement social et sexuel s'arrête, et il souffre lorsqu'il est isolé. C'est ce qu'on appelle l'anxiété de séparation. Je préfère parler de chien dépendant, cette notion englobant celle de l'intolérance à la séparation.

Attachement et apprentissage

Par l'apaisement qu'il procure, l'être d'attachement permet au chiot d'explorer le monde et de revenir rapidement à son contact protecteur. Cette exploration est un va-et-vient avec retour vers l'être d'attachement. Si on analyse les mouvements exploratoires du chiot alternant avec le retour auprès de l'être d'attachement, on peut dessiner un astérisque ou une étoile ; c'est pourquoi on parle aussi d'exploration en étoile. L'attachement permet d'explorer et de se familiariser avec le monde.

Sans attachement, il n'y a pas d'apprentissage, pas d'empreinte, pas de socialisation, pas d'habituation, pas de communication sociale. Sans attachement, le chiot arrête son développement.

Attachement et détachement

L'histoire de l'attachement est aussi l'histoire du détachement de la relation exclusive à deux, pour s'attacher à des relations multiples, familiales et sociales.

À tout moment de sa vie, le chien peut faire le deuil d'une relation privilégiée et s'attacher à de nouveaux partenaires sociaux, en créant et en entrant ainsi dans un nouveau système. L'histoire du chien domestique est une complexe histoire de familles recomposées.

Caractéristiques du chien dépendant

Le chien dépendant est un chien collant. Il ne quitte pas l'être d'attachement, s'éloigne peu de lui. Quand il explore, c'est en étoile autour de lui. En sa présence, tout est possible. En son absence, tout est difficile.

Le chien dépendant est un chien infantile et soumis, respectant l'autorité de ses maîtres, ne cherchant pas querelle. S'il est capable de se défendre agressivement, quand on le contraint ou quand on lui fait mal, il ne se battra pas pour un objet, un livre, ou même un os. Son maître, l'être d'attachement, possède sur lui toute l'autorité nécessaire, sans difficulté.

Le chien dépendant exprime sa détresse en l'absence de l'être d'attachement. Il s'ensuit de nombreuses nuisances. Et c'est ce qui entraîne la demande de consultation. Isolé de l'être apaisant, le chien exprime toutes les expressions de la crainte ou de la peur.

- Fuite : tentatives de retrouver l'être apaisant, en grattant les portes ou les chambranles.
- Inhibition : immobilité quasi totale, sans exploration ; refus de manger ; il ne touche ni à la nourriture ni aux boissons, aux os ou aux jouets.
- Agression d'autodéfense : le chien dépendant peut agresser les autres individus présents qui veulent le toucher, le caresser, le calmer. Seul l'être d'attachement peut l'apaiser.
- Recherche des signes associés à l'être d'attachement : le chien dépendant peut rechercher activement l'être d'attachement, particulièrement son odeur, et renifler ou lécher les objets qu'il a touchés ou

portés (ses vêtements, ses livres, etc.). Il les manipule, parfois les mâchonne, et ensuite les abandonne ou les emporte dans le lieu de couchage.

• Agitation : le chien dépendant, stressé, peut tenter d'évacuer toute cette tension émotionnelle par de l'agitation et des activités de mâchonnements, sur des objets ou du mobilier.

• Appel de détresse : le chien dépendant va appeler à l'aide, essayer de capturer l'attention de l'être d'attachement, comme il le fait quand il est dans la maison. Ses appels de détresse seront des gémissements, des aboiements, des hurlements répétitifs. Il abandonne les vocalises s'il n'y a aucune réponse, puis les reprend par périodes.

• Activités apaisantes : le chien dépendant peut chercher à s'apaiser. Une des façons habituelles est de prendre contact avec son corps, de se toiletter et de se lécher, particulièrement les pattes ou le ventre. Parfois, il en résulte des lésions du pelage ou même de la peau.

• Signes physiques : le chien dépendant a peur quand il est seul. Il peut donc vomir, avoir la diarrhée, uriner et déféquer involontairement, transpirer ou saliver.

Diagnostic du chien dépendant

Trois symptômes permettent de poser le diagnostic :
• dépendance, hyperattachement à un individu ;
• infantilisme et soumission ;
• signes de détresse lors de la séparation de l'être d'attachement.

La terminologie scientifique

La terminologie « anxiété de séparation » a des significations différentes suivant le modèle auquel on fait référence. En France, il s'agit du chien infantile et dépendant. Dans les pays anglo-saxons, il s'agit de tout chien qui ne supporte pas la solitude. Cela englobe alors énormément de chiens, y compris certains chiens dominants qui ne supportent pas la perte de privilège (comme d'être laissé seul à la maison). Le chien hyperactif aussi présente des nuisances quand il est seul. Personnellement, je crois que la définition française est plus précise. Cependant, elle n'inclut pas les chiens dépendants qui ne sont pas infantiles et qui sont apaisés par la présence de n'importe quelle personne, même un *dog-sitter.*

Comment traiter le chien dépendant ?

C'est le sujet du prochain chapitre.

Prévenir et traiter la dépendance

Le chien dépendant n'est pas toujours une nuisance dans la famille. Il est même souvent très apprécié par son ou sa propriétaire, parce que c'est un chien dévoué, plein d'amour. Cependant, quand il aboie sa détresse, il n'est guère apprécié des voisins. Et quand il détruit et souille dans la maison, c'est la famille qui commence à trouver la situation déplaisante.

Prévention

La seule prévention est d'assurer un attachement correct — sans hyperattachement — et un détachement responsable, au plus tard à la puberté.

L'attachement correct consiste en un attachement à tous les membres du système familial et à l'environnement,

1) en obligeant le chiot à rester en compagnie de l'un ou l'autre en alternance ;

2) en obligeant le chiot à rester seul dans l'environnement connu (appartement) pendant des laps de temps croissants ;

3) en interdisant au chiot de suivre une seule personne sans arrêt ; en le forçant à rester à distance, d'abord en contact visuel – ensuite hors de vue – des personnes présentes dans le même environnement.

Si le propriétaire vit seul avec le chiot, il convient de réaliser les points 2 et 3 ci-dessus.

Le détachement responsable consiste à hiérarchiser le chien, c'est-à-dire à supprimer ce qui pourrait être considéré par un chien comme des privilèges de dominance :

- le chien regarde manger ses maîtres et mange après eux, en un temps limité de 5 minutes (ensuite sa gamelle est retirée) ;
- le chien n'a aucun accès au contact social (caresses) à sa demande, seul le propriétaire décide ;
- le chien ne peut se coucher au centre des pièces ou dans les passages ; il doit se coucher dans un coin de pièce, d'où il ne peut contrôler aucun déplacement des membres de la famille.

Détachement et « désamour » ?

Grande inquiétude chez les propriétaires de chiots attachés et attachants. L'attachement, c'est de l'amour. Avec le détachement, va-t-il arrêter de m'aimer ?

Au contraire. L'amour du chiot est dans la dépendance. L'amour des adolescents et des adultes est dans le respect. Et il est impossible de respecter quelqu'un qui vous laisse tout faire. Aimer sans tout permettre est la clé.

Être infantile pour un chien adolescent ou adulte, c'est être bloqué à un niveau de développement qui ne permet pas l'expression de tout un potentiel physique et affectif. Entrer dans l'âge adulte permet d'avoir de nouvelles stratégies affectives. Cela n'empêche jamais un adulte de « faire l'enfant » temporairement, de régresser pour un moment dans des états de dépendance affective le temps d'un câlin, pour en ressortir aussitôt et redevenir un adulte autonome – pour autant que cela soit possible. Le chien sera toujours quelque peu dépendant. Dans nos sociétés, un chien – sauf quelques rares exceptions – ne peut plus assurer seul sa survie.

Quand la solution fait partie du problème

L'humanisation des chiens a transformé la représentation que l'on s'en fait. Un chien est-il un chien ou est-il un substitut d'enfant, de conjoint, de partenaire social et affectif? Inutile de se mentir à soi-même. Il est l'un et l'autre.

Un chien affectueux et très attachant – et très attaché et dépendant – sera en détresse quand il sera seul. On va lui expliquer que l'on revient, qu'il ne doit pas s'en faire. Nous sommes humains et entre humains, on explique les choses. Quoi de plus normal après tout? Que lui dira-t-on au retour? S'il s'est bien comporté, on rentrera en disant que «papa est de retour» et l'accueil sera plein de fusion et d'excitation. Si le chien a fait des dégâts, on le grondera et il saura qu'il a mal fait. Il ira se cacher derrière un fauteuil en prenant une position de chien battu (alors qu'on ne l'a jamais frappé).

Que comprend le chien de tout ce charabia humain? Je crois qu'il est très embrouillé. Son maître vit avec lui, puis, à un moment donné, il y a des indices de séparation. C'est précisément à cet instant que l'être d'attachement donne le plus d'attention, pour ensuite laisser le chien seul avec sa détresse, juste après cette surcharge d'affectivité. Au retour, c'est l'excitation joyeuse ou le masque de colère – ou les deux quasi en même temps – dès que la porte est ouverte.

Ces rituels de départ et de retour sont des surcharges affectives qui augmentent le problème et qu'il vaut mieux éviter. Le départ se fait sans rien dire, le retour se fait dans l'indifférence pendant 5 à 15 minutes. Ensuite la vie reprend son cours habituel.

Il sait qu'il a mal fait!

Que fait le chien qui «sait qu'il a mal fait»? Il prend une posture basse, avec regard de côté, observant son maître.

Pourquoi le chien saurait-il qu'il a mal agi? S'il est puni (grondé, menacé...) à cause des destructions dans l'appartement, il doit forcément associer la correction et les dégradations, non? Le chien est-il assez malin pour faire cette association?

Pour couper court à une discussion qui pourrait se prolonger, disons que si le propriétaire montre le moindre signe de colère à son retour, le chien soumis et affectueux ne peut que prendre les postures les plus basses, les plus soumises, pour apaiser son maître adoré et... incompréhensible.

Si le chien associe la punition avec les dégradations, il fait le lien avec la situation, l'état et non avec l'acte. C'est donc l'état qui est puni, pas l'acte. Rien n'empêche le chien de reproduire l'acte qui, pour lui, est valorisant, puisqu'il l'apaise et lui fait du bien. Bien entendu, à l'arrivée du propriétaire, le chien anticipera une punition et prendra la posture la plus soumise, la plus apaisante pour éviter son courroux.

À la vue du chien soumis, le propriétaire sait qu'il y a quelques dégâts, et il avance, fâché, pour tout vérifier. S'il trouve quelque chose, son courroux, même non exprimé, va se manifester dans son langage corporel (gestes saccadés, tonicité des mouvements). Le chien ne s'y trompera pas. On ne peut lui mentir.

La punition au retour, quelle qu'elle soit, est malvenue et ne fait qu'augmenter le problème. En effet, en anticipant, le chien subit un stress et plusieurs expriment cette angoisse par des pipis d'émotion.

Avant de traiter...

Il faut préciser le diagnostic et être bien certain qu'il s'agit d'un chien dépendant, pas d'un chien nerveux ou dominant. Ensuite, après s'être occupé du chien, il faut considérer le système familial. Si le chien montre un attachement excessif – voire pathologique – qu'est-ce qui, chez l'être d'attachement, a permis de renforcer ce sentiment? Quel est le degré de dépendance affective du propriétaire face à son chien?

Parfois, le propriétaire est gêné par la dépendance du chien et par son comportement, s'il n'a pas pu éviter cette problématique, s'il n'en est pas la cause ni même un facteur d'entretien. Mais parfois, il est le facteur principal du maintien de la situation et un obstacle sérieux à une amélioration rapide. Loin de moi l'idée d'accuser ce propriétaire qui a bien le droit et ses raisons d'aimer son chien à sa manière. Mon problème est de déterminer comment améliorer la situation pour le bien du maître et de son chien.

Comment traiter la dépendance ?

Mon approche est très pragmatique. En voici les principes :
- réduire rapidement les nuisances vocales en raison de plaintes de voisins ;
- réduire rapidement les nuisances pour les propriétaires eux-mêmes ;
- provoquer le détachement grâce à la participation active de l'être d'attachement ;
- faciliter le détachement à l'aide de médicaments ;
- redonner au chien un état de bien-être à l'aide de médicaments ;
- supprimer les solutions spontanées qui aggravent le problème ;
- encourager les solutions spontanées qui améliorent la situation.

Toutes ces procédures doivent être réalisées dans un temps précis, le temps que le système familial se donne pour améliorer la situation ou obtenir la guérison. Cela prendra-t-il un mois, trois mois, six mois ? Tous ces critères font que la stratégie de traitement varie d'un chien à l'autre et d'une famille à l'autre.

L'usage de médicaments

Pourquoi utiliser des médicaments s'il suffit de réaliser un détachement ? Tout simplement pour :
- améliorer plus rapidement la situation et accélérer la guérison ;

- réduire les tensions émotionnelles liées à la peur ou à l'anxiété – et redonner au chien un sentiment de bien-être, qui l'aidera à se détacher ;
- faciliter le détachement.

Mon choix se portera sur le médicament qui colle le plus à la symptomatologie de l'animal. Peu importe la médication, elle doit aider et soutenir la thérapie. Après la prescription du médicament, on évalue ses effets dans les quatre semaines suivantes. Il est fréquent de changer le médicament pour des raisons de stratégie de traitement et pour travailler sur d'autres chimies cérébrales.

Les thérapies

C'est la partie la plus importante du traitement. Elle est très simple. Il suffit de l'appliquer.

La thérapie comportementale

Contexte de départ
- Suppression du rituel de départ.
- Indifférence aux demandes d'attention du chien dans la demi-heure précédant le départ.

Contexte de retour
- Suppression du rituel de retour.
- Extinction : indifférence totale aux demandes d'attention du chien jusqu'à ce qu'il soit calme.
- Arrêt de toute punition au retour, quelles que soient les nuisances.
- Arrêt de tout nettoyage en présence du chien : la posture accroupie ressemble à un appel au jeu, or l'émotion du moment étant l'irritation, le message est double et paradoxal.

Contexte du séjour à la maison
- Pas de réponse aux demandes d'attention, de jeu, de contact social du chien.
- Le maître décide lui-même des moments d'interaction.
- Le maître interdit à son chien de le suivre partout, si nécessaire en punissant.
- Désensibilisation aux indices de départ.

La thérapie cognitive

Elle n'agit pas directement sur le comportement du chien, mais elle s'accomplit par l'intermédiaire des processus d'intégration des données, par la cognition. Elle est essentiellement destinée aux membres de l'écosystème, c'est-à-dire les… lecteurs!
- Identification des émotions et des pensées automatiques des propriétaires lorsque le chien émet des comportements spécifiques : accueil «joyeux», accueil «coupable», etc.
- Travail sur ces émotions et ces pensées automatiques. Essayer de modifier ces idées et ces représentations, de se mettre à la place du chien et de penser comme lui.

Les thérapies systémiques

Les thérapies systémiques prennent en charge le système entier, la famille dans laquelle vit le chien. Elles se basent sur l'importance qu'a un porteur de symptôme – dans ce cas-ci le chien – sur l'équilibre de la famille. Chacun peut tenter d'évaluer la fonction équilibrante et perturbatrice du chien et de ses symptômes sur le système.

Les thérapies systémiques sont réservées à des spécialistes, c'est-à-dire des thérapeutes formés pour appliquer ces techniques particulières. Sinon, il vaut mieux s'adjoindre l'aide en cothérapie d'un psychiatre ou d'un psychologue spécialisé dans ce domaine.

Pourquoi vous dis-je un mot de ces thérapies? Parce que dans certains cas, en plus d'aider le chien, elles permettent à tout le système (maître-chien) de bénéficier d'un coup de pouce, d'une explication ou d'un changement. Un psychiatre ou un psychologue formé en thérapie familiale se chargera alors d'aider la famille.

Le jeune chien dominant

Gamin

Gamin m'a mordu. Je voulais lui reprendre un vêtement qu'il avait dérobé dans le panier à linge et il m'a pincé. Bon, il n'y a pas de trace. Ce n'est pas si grave. Mais ce qui m'embête, c'est qu'il se met aussi en travers du chemin et qu'il grogne quand je veux passer. C'est assez ennuyeux, surtout la nuit quand je veux aller aux toilettes… Et puis, il mange mal. Voilà. C'est pour ça que je viens vous voir.

Quel est le problème du chien dominant ?

Je crois que le chien dominant a peu de problèmes. Ce sont les propriétaires qui sont embêtés par le comportement du chien. Le chien, lui, est assez normal, du moins, au début… Après, ça se gâte.

Que veut dire être « dominant » ?

Est dominant le chien qui a les privilèges et les postures du dominant.

Les privilèges du dominant

- Manger en présence de spectateurs : assister à son repas accélère la vitesse d'ingestion des aliments – le chien dominant prend une posture haute.

- Manger le premier, quand il veut, à son aise.
- Dormir où il veut, dans la chambre, sur les fauteuils, au milieu d'une pièce.
- Contrôler les passages entre les pièces et le déplacement des personnes en se mettant dans le chemin ou à l'endroit qui permet de voir tous les déplacements et de tout savoir.
- Recevoir des attentions gratuitement ou à sa demande.
- Avoir des comportements sexuels devant tout le monde.
- Empêcher les individus (humains ou chiens) d'entrer ou de sortir du groupe ou de la pièce.
- Faire alliance avec les autres figures dominantes de la famille.
- Se mettre à proximité de la personne de sexe opposé et à une distance plus courte que la personne de même sexe.
- Ne pas obéir aux ordres non suivis de gratification.
- Marquer à l'urine au-dessus (et plus haut) des marques des autres.
- Marquer à l'urine (dans la maison) en cas de mécontentement, par exemple quand il est laissé seul.
- Attaquer (ronger, gratter) les objets qui entourent le lieu de départ des autres membres du groupe (chambranles, portes).
- Défendre ses privilèges à l'aide de comportements agressifs : menaces et, si nécessaire, attaque avec pincement bref.
- S'approprier les chiots d'une autre chienne et empêcher l'accès à celle-ci.
- S'approprier les enfants de la propriétaire et empêcher l'accès à celle-ci.
- Décider quand il va se promener, où, et combien de temps.
- Décider quand il veut jouer et imposer le jeu (le type de jeu et sa durée) aux autres.

Les postures dominantes

- Prendre une attitude dressée (posture haute) de façon répétée, en cas de conflit, lorsqu'il mange et que quelqu'un s'approche.

- Poser ses pattes ou sa tête sur l'échine ou l'épaule des autres en cas de conflit ou s'ils ne prennent pas automatiquement une posture basse en sa présence.
- Refuser la position couchée sur le dos en cas de conflit ou de contrainte.
- Se mettre sur le dos pour demander des caresses. Se raidir ou grogner pour faire arrêter le contact.
- Adopter une posture haute et grogner quand on le regarde fixement dans les yeux.
- Chevaucher les personnes ou les autres chiens.

Avant la puberté

Il est impossible d'être dominant avant la puberté.

En analysant les critères de dominance, on voit que le chiot ne peut réellement y accéder qu'au moment de la puberté.

Un chiot de 3 ou 4 mois peut avoir vécu des conflits avec ses frères et sœurs pour un os et gagné cet os à chaque conflit. Désormais, lors de la distribution des os, il peut se les approprier et il n'est pas remis en cause. Il a donc acquis un privilège qui le rend dominant sur ses frères et sœurs dans ce contexte précis. Mais cette hiérarchie alimentaire ne transforme pas un chiot en individu dominant – sur vous –, et cela n'annonce pas un chien dominant à l'âge adulte.

C'est vers l'âge de 3 à 4 mois que les chiots, qui avaient jusque-là accès au repas de leur mère, apprennent qu'il y a une file d'attente pour le *self-service* de la cantine! En plus, ils sont obligés d'être à la fin de la file et d'attendre leur tour. Ils n'en ont pas envie et désirent prendre des aliments plus rapidement. Les adultes leur envoient des messages très clairs faits de postures hautes, de grognements et de claquements des dents, et les chiots apaisent les adultes avec des postures de soumission.

Plusieurs chiots apprennent à manipuler les postures pour s'approcher d'un aliment convoité, et les adultes respectent ce jeu en faisant croire qu'ils se sont fait avoir. La hiérarchisation alimentaire commence après le sevrage et se termine vers 5 mois.

Ensuite, il faudra attendre la puberté pour voir apparaître la hiérarchisation complète avec l'utilisation de l'ensemble des messages complexes.

La hiérarchisation se fait en deux phases : la hiérarchisation alimentaire entre le sevrage et la période prépubertaire, et la hiérarchisation complète à partir de la puberté.

Comment savoir si son chien est dominant ?

Relisez les critères énoncés plus haut. Il est probable que votre chien soit dominant s'il présente :
• 8 privilèges de dominance ;
• 3 postures dominantes.

Mais je dois préciser que s'il est dominant, c'est uniquement dans votre système familial. Car si on le change de système, il peut très bien être dominé par un autre chien ou un autre propriétaire. La situation de dominance est relative, elle dépend du système dans lequel le chien vit. Le patron d'une entreprise régionale d'une multinationale est dominant. Mais il est dominé par rapport au patron de la multinationale dont il dépend.

Un chien agressif est-il dominant ?

Pour le savoir, il faut analyser le type d'agression et déterminer si elle est en relation avec les privilèges de dominance énoncés ci-dessus. Si tel est le cas, la réponse peut être oui. Si ce n'est pas le cas, il faut chercher une autre cause.

Un chien dominant peut devenir agressif s'il est sans arrêt houspillé. Et l'agressivité peut se transformer en hyperagressivité quand il constate l'efficacité de cette stratégie et se met à l'employer en toutes circonstances.

Un chien désobéissant est-il dominant?

Le chien peut désobéir pour de multiples raisons. La plus simple est une mauvaise technique d'obéissance. Le chien dominant obéira à un ordre pour une gratification (aliment extraordinaire, par exemple). Le chien peureux ou anxieux n'obéira pas à la contrainte. Le chien dominant refusera d'obéir sous la contrainte de celui qu'il domine. En revanche, il peut très bien obéir à une autre figure d'autorité.

Comment traiter le chien dominant?

C'est le sujet du prochain chapitre.

Prévenir et traiter la dominance

Le chien dominant n'est pas toujours une nuisance dans la famille. Il est même souvent très apprécié par son ou sa propriétaire, particulièrement du sexe opposé au sien. C'est un privilège du chien dominant de tenter de faire couple avec la personne de sexe opposé, et donc de… flirter avec lui (elle). Il se montre avec lui (elle) dévoué et plein d'affection. Cependant, quand il défend ses privilèges, détruit les chambranles de la porte, lève la patte sur le sofa, vole les sous-vêtements, la famille commence à trouver la situation fâcheuse.

Prévention

La prévention est aisée. Il suffit – encore faut-il y arriver – de ne pas laisser le chien accéder aux privilèges de dominance.

Et si la dominance n'est pas génétique – comment, en effet, pourrait-on transmettre génétiquement une relation sociale entre deux individus ? –, l'impulsivité et certaines agressivités le sont. Ces modes de fonctionnement peuvent ensemble pousser le chien à prendre des privilèges.

L'ambivalence des messages

La façon la plus sûre de rendre un chien dominant – agressif et anxieux –, c'est de le mettre dans une situation ambiguë, de lui envoyer des messages ambivalents.

– Oui, tu peux aller sur le divan. Non, tu dois descendre du divan.

– Oui, tu dois obéir maintenant et t'asseoir. Non, tu peux obéir quand tu veux et je n'insiste pas maintenant.

– Oui, tu dois te coucher dans ton coin. Non, tu peux te coucher au milieu du passage et je vais t'enjamber.

– Oui, je te caresse maintenant, alors que tu me le demandes. Non, je ne te caresse pas maintenant, je suis occupé.

Le chien doit se demander : « Ai-je des privilèges ou pas ? »

S'il les a de temps en temps, pourquoi ne mordrait-il pas un petit peu pour les avoir plus souvent ou tout le temps ?

Amour, dominance et soumission

Bien entendu, les messages sont ambivalents parce qu'on aime nos chiens. Si on adopte un chien dans une famille, c'est pour lui donner de l'attention et de l'amour. Ce n'est pas pour le reléguer dans une pièce éloignée, dans le garage ou dans un chenil. Alors que faire ?

Prendre toutes les décisions ? Cela ne laisse pas au chien grande autonomie de décision ! Et pourtant ! Le chien se sentira-t-il mal à l'aise avec cela ? Dans notre réflexion, on oublie quelque chose de très important. Il y a 15 000 ans, les chiens étaient sauvages. Ensuite, l'homme les a domestiqués pour travailler. Depuis à peine 50 ans, la plupart des chiens n'ont rien à faire que de jouer un rôle ornemental et affectif. La génétique des chiens a-t-elle changé en 50 ans (environ 25 à 30 générations) ? Je crois que les chiens ont besoin de faire quelque chose, de travailler. C'est pourquoi je suis un adepte de la devise : « Rien n'est gratuit, tout se mérite. »

Quand la solution accroît le problème

Quand on croit que le chien dominant doit être « cassé » et qu'on s'emploie à utiliser force et autorité pour résoudre le problème, on finit parfois à l'hôpital. Oui, il est vrai qu'une démonstration de force est parfois spectaculairement efficace. C'est ainsi qu'après quelques mois de thérapie, cette jeune femme de 50 kg, exaspérée par son bobtail de 45 kg, l'a empoigné, plaqué au mur, sermonné une bonne fois et le problème a été résolu. Il s'agit d'une démonstration de force physique et morale que le chien, sous médication, a accepté. Mais combien de propriétaires, ambivalents, auront cette attitude extrême où l'esprit et le corps sont en parfaite concordance et qui envoie au chien un message clair et sans ambiguïté? La plupart s'engageront avec crainte dans cette solution et le problème s'aggravera. L'ambiguïté de leur comportement – la force physique avec la crainte au ventre –, entraîne juste l'effet contraire: le chien se sent plus fort, agresse et gagne le conflit, sortant de l'épreuve avec une supériorité accrue.

C'est pourquoi il est préférable pour la plupart d'entre nous d'engager la thérapie à petits pas, sans conflit, avec des techniques pourtant très efficaces.

Avant de traiter...

Avant de s'engager dans un traitement, il faut bien entendu faire un diagnostic précis. L'aide apportée par un vétérinaire comportementaliste est considérable. Il convient d'analyser le chien (et une pathologie éventuelle comme une hyperagressivité), le système dans lequel il vit et les interactions entre le chien et chaque membre de la famille.

Comment traiter la dominance?

Mon approche est très pragmatique. En voici les principes:
• réduire rapidement le danger pour les propriétaires et toute personne qui entre en contact avec le chien;
• réduire rapidement les nuisances pour les propriétaires (destructions, souillures, aboiements territoriaux...);

- provoquer la régression dans la hiérarchie – rabaisser le statut social – grâce à la participation active de la famille;
- aider le chien à devenir indifférent à la perte de statut à l'aide de médicaments;
- redonner au chien un état de bien-être (réduire l'anxiété) à l'aide de médicaments;
- supprimer les solutions spontanées qui aggravent le problème;
- encourager les solutions spontanées qui améliorent la situation.

Toutes ces procédures doivent être réalisées dans un temps précis, le temps que le système familial se donne pour améliorer la situation ou obtenir la guérison. Cela prendra-t-il un mois, trois mois, six mois? Tous ces critères font que la stratégie de traitement varie d'un chien à l'autre et d'une famille à l'autre.

L'usage de médicaments

Pourquoi utiliser un médicament si le chien est normal? Bonne question! S'il est justifié d'utiliser un médicament lorsque le chien est anxieux (dominant et anxieux), lorsqu'il est hyperagressif (dominant et hyperagressif), lorsqu'il est hypersexuel (dominant et hypersexuel), est-ce vraiment nécessaire quand le chien est normal et présente des comportements d'agression réactionnelle normaux en présence d'un système qui, à son avis, tourne mal?

La réponse est non, mais elle est oui quand le calcul de dangerosité signale un réel danger pour les membres de la famille, pour des enfants, pour des personnes âgées ou invalides.

Le choix du bon médicament

Dans ce domaine je laisse le choix au vétérinaire. On ne peut pas jouer avec des médicaments qui ont un pouvoir désinhibiteur potentiel, c'est-à-dire qui peuvent, à faible dose généralement, ou à trop haute dose, avoir un effet inverse et augmenter l'agression. On ne jouera pas avec du diazépam, de l'acépromazine, des butyrophénones ou des produits similaires. Et surtout, au moindre signe anormal, on appellera le vétérinaire afin d'avoir son avis.

La thérapie

La thérapie est aisée. Il suffit – encore faut-il y arriver – de ne plus laisser le chien accéder aux privilèges de dominance. Il faut lui enlever tous les privilèges de dominance qui comptent pour lui et qui sont importants dans sa vision de la hiérarchie. Et ces privilèges changeant d'un chien à l'autre et d'une famille à l'autre, il faudra étudier la question individuellement.

Je propose d'enlever les privilèges :
• qui sont importants pour le chien ;
• qui ne sont pas importants pour les membres de la famille.

Si le chien dort sur le lit, qu'il n'y a pas d'agression sur le lit, qu'il est important pour le propriétaire que le chien dorme sur le lit, pourquoi changer ce privilège ?

Si le chien mange avant ses propriétaires, qu'il fait tout un cinéma, ne mangeant que s'il a des spectateurs et que cela ennuie les propriétaires de devoir assister au repas du chien, et même de devoir lui donner à manger à la cuillère, voilà un privilège à modifier. Le chien assistera au repas de ses propriétaires, mangera après eux, en un temps limité à 5 minutes et, qu'il ait mangé ou non, le repas sera enlevé après le délai imparti.

Dans tous les cas, on introduira la thérapie «Rien n'est gratuit, tout se mérite».

Rien n'est gratuit, tout se mérite

S'il n'y avait qu'une chose à changer chez le chien dominant, ce serait la gratuité des choses : aliments, caresses, attentions, promenades, jeux…

Le chien doit travailler pour obtenir chaque chose de la vie courante et doit apprendre à communiquer avec une posture neutre et légèrement basse pour obtenir repas, caresses et jeux. Il n'a pas besoin de prendre une attitude de « chien battu ». Une posture neutre, un regard légèrement détourné sera suffisant. Et il peut montrer des signes de plaisir, comme agiter la queue.

Désamorcer les agressions

Je ne désire pas que le propriétaire agresse son chien, ni qu'il se fasse agresser. Je ne désire pas que le propriétaire se mette en colère, ni qu'il ait peur de son chien. Ni, non plus, que le propriétaire cède face à l'agression de son chien. Je propose de désamorcer les agressions. Comment ?

Le chien propose son propre scénario.

Le chien : « Je vais lever la patte et mon maître va entrer en colère. Ensuite je vais grogner et il va partir. »

Le propriétaire : « Mon chien a levé la patte contre le divan, je suis en colère, je vais crier et le menacer avec un journal… »

Dans ce cas, le chien écrit le scénario et le propriétaire joue son rôle, parfaitement, suivant les désirs du chien.

Mais le propriétaire n'est pas obligé, il peut écrire sa propre pièce et dire : « Mon chien a levé la patte, cela m'énerve, mais c'est ce qu'il cherche. Je refuse le conflit. Je vais rire, ça va le surprendre. Je vais lui proposer un jeu. S'il joue, j'ai gagné et il a perdu. S'il ne joue pas, je n'ai pas perdu puisque je ne suis pas entré dans le conflit. Dans les deux cas, je gagne. »

Voilà ce que j'entends par désamorcer les agressions. C'est proposer une solution surprenante – bizarre et amusante – à la proposition de conflit du chien et à la symétrie des agressions du chien et du maître qui aboutit, on le sait, à l'échec du maître et à la confirmation du chien, chaque fois un peu plus, dans son rôle de vainqueur et de dominant.

L'assertivité du propriétaire

Assertivité veut dire affirmation de soi. Pour s'affirmer, il faut que le propriétaire :
- s'imagine ou se représente gagner diplomatiquement un conflit avec le chien ;
- croie dans ses capacités face au chien ;
- adopte spontanément une posture haute ;
- théâtralise ses expressions, fasse un réel show face au chien ;
- ne soit nullement en colère ;
- n'agresse pas le chien ;
- réussisse de petites étapes progressives.

Le but est de dire au chien : « Eh ! ici, c'est moi le patron ! » de façon telle que le chien l'accepte. La seule étape que je vous propose dans ce jeu de rôles est la suivante :
- prévoir un petit quart d'heure de temps libre ;
- vous mettre bien à l'aise dans un fauteuil ;
- attirer l'attention du chien, sans pour autant le faire venir à vous (taper dans les mains, claquer la langue dans la bouche) ;
- regarder le chien sur le dos, la nuque ou la croupe, mais pas dans les yeux ;
- maintenir le regard dans la direction du chien, mais pas de façon fixe et rigide (vous avez le droit de ciller des yeux) ;
- le maintenir jusqu'à ce que le chien détourne le regard ou s'éloigne.

C'est un conflit diplomatique. Et vous l'avez gagné. En répétant cet exercice, vous vous sentirez de plus en plus en confiance face au chien. Si vous craignez une réaction agressive, mettez entre lui et vous une barrière physique ou attachez-le préalablement.

Limites

Le chien dominant est un chien dont il ne faut pas négliger ni sous-estimer le potentiel dangereux, surtout s'il est de grande taille. Le chien n'existe pas seul, par lui-même. Il vit dans un milieu, une famille. Et c'est cette famille qui court le plus grand risque. La décision de le traiter n'appartient pas au vétérinaire, mais à la famille qui doit, auparavant, calculer tous les enjeux.

Le jeune chien déprimé

Suzy

Suzy ne bouge plus. Elle semble dormir tout le temps, mais elle reste couchée, les yeux mi-clos. Elle ne dort pas vraiment, elle ne rêve pas. Elle ne mange quasiment plus, il faut lui mettre les aliments de force dans la gueule. Elle ne joue pas non plus. Elle dépérit. Elle a maigri, elle qui avait déjà beaucoup maigri après sa maladie… Si on ne fait rien, elle va mourir.

Quel est le problème du chien déprimé ?

Dans une dépression aiguë, il y a épuisement des ressources et des émotions. Le chiot est inhibé, il ne bouge plus. Il est sidéré. Comme si sa chimie cérébrale ne voulait plus donner l'élan nécessaire pour démarrer la machine émotionnelle et affective. Dès lors, toute la machine s'arrête.

Je mentionne ce sujet parce que chaque année des chiots meurent de dépression. C'est probablement la seule maladie comportementale du chien qui puisse causer sa mort.

Diagnostic du chien déprimé

Il s'agit d'un état qui entraîne une diminution globale de réception (inhibition sensorielle) et de réaction aux stimuli (un état d'inhibition réactionnel).

Cliniquement, le chien présente quatre groupes clés de symptômes :
- un manque général d'initiative ;
- une inhibition dans le jeu et les activités agréables ;
- un état de détresse chronique avec des crises de panique ;
- des troubles du cycle veille-sommeil.

Pour qu'un vétérinaire diagnostique la dépression, le chien doit montrer un ou plusieurs signes dans chacun des quatre groupes clés.

Quels sont les signes les plus fréquents ?

Le manque général d'initiative se manifeste par :
- une quasi-absence de demande de jeu et de promenade ;
- une carence de sollicitations de sortie pour éliminer (le chien peut éliminer dans la maison) ;
- une réduction des activités intentionnelles comme la défense territoriale, la compétition pour des objets, l'agression éventuelle d'autres chiens, etc.

L'inhibition dans les activités agréables s'exprime par :
- la quasi-absence de jeux spontanés avec des objets ;
- une faible réponse aux sollicitations de jeux (qui lui plaisaient auparavant) ou de promenade ;
- une faible réplique aux invitations d'activité par les autres chiens, etc.

L'état de détresse chronique se traduit par :
- des crises épisodiques de panique ;
- des réactions phobiques pour des stimuli variables ;
- de l'hypervigilance intermittente ;
- une tendance à l'hyperattachement avec tendance à suivre les personnes présentes par périodes et des intolérances périodiques de séparation qui en sont le corollaire ;

- de l'agitation psychomotrice : marche incessante, etc.

Les troubles du cycle veille-sommeil se manifestent par :
- de la somnolence de jour ;
- de l'insomnie de début de nuit (difficulté à s'endormir), de milieu de nuit (réveil en sursaut avec panique, réveil et incapacité de se rendormir, déambulations la nuit et gémissements) ou de fin de nuit (réveil très matinal).

Chez le chien, il n'existe pas de tendance suicidaire, mais il y a d'autres signes d'accompagnement. L'appétit est souvent perturbé :
- alternance entre appétit excessif, normal et manque d'appétit dans la dépression chronique ;
- forte réduction de l'appétit à perte quasi totale d'appétit dans la dépression aiguë.

L'humeur peut être irritable :
- grognements sourds sans raison ou quand on le regarde sans grande expressivité faciale ;
- agression d'autodéfense : agression par irritation (manipulation, douleur) ou par peur.

Les postures corporelles sont généralement basses :
- corps qui semble accroupi ou affaissé ;
- queue entre les postérieurs, collée au ventre ;
- oreilles peu mobiles, tirées en arrière, au port bas.

Les causes de l'état dépressif

Chez le chiot, la dépression est généralement liée à un stress violent comme la perte de la mère et le changement d'environnement, un accident, un traumatisme, une intervention chirurgicale, etc.

Le rejet affectif ou la rupture de l'attachement est une cause majeure de dépression aiguë ou chronique.

Une maladie infectieuse aiguë avec médication, une hospitalisation, une rupture temporaire du lien d'attachement, un épuisement ou une convalescence sont des facteurs favorisant une dépression.

Une privation sérieuse dans la période de socialisation peut être responsable d'un syndrome de privation au stade de dépression chronique.

Le syndrome de privation au stade de dépression chronique

Le chiot:
- présente des symptômes depuis le moment de l'acquisition (avec aggravation progressive possible dans les semaines qui suivent l'acquisition);
- a vécu un développement (période de socialisation) en milieu très appauvri (élevage concentrationnaire dans une «cage à poules», absence de la mère, mise en lots de chiots séparés de leur mère à un très jeune âge…);
- manifeste un symptôme au moins dans chacun des quatre groupes clés du syndrome dépressif;
- élimine à proximité ou à l'endroit même des lieux de couchage, parfois sous lui.

Comment traiter le chien déprimé?

C'est le sujet du prochain chapitre.

Prévenir et traiter la dépression

Le jeune chien en dépression est l'antithèse du chien comme on se le représente, joueur, actif, joyeux et affectueux. Outre l'inquiétude justifiée pour son bien-être, il y a parfois des nuisances pour la famille : des vocalises la nuit, des souillures, etc.

Prévention

La meilleure prévention est la préservation du lien d'attachement. Lors de l'acquisition d'un chiot, pourquoi ne pas lui rendre visite chez l'éleveur et passer du temps avec lui pour faire connaissance et permettre la transition entre l'attachement à la mère, à la portée, à l'éleveur et à l'élevage, et l'attachement aux nouveaux acquéreurs et à leur nouvel environnement. Un objet transitionnel porteur de l'odeur apaisante de la mère est aussi favorable.

Lors d'une hospitalisation, pourquoi ne pas permettre les visites des êtres d'attachement dans la salle d'hospitalisation et utiliser un objet transitionnel.

Traitement

Mon approche est pragmatique. En voici les principes :
• réduire rapidement le risque de mortalité pour le chiot ;
• réduire rapidement les nuisances pour les propriétaires (souillures, gémissements et hurlements de nuit…) ;

- faciliter chez le chien un renouveau de la vigilance à l'aide de médicaments ;
- redonner au chien un état de bien-être (réduire la détresse) à l'aide de médicaments ;
- supprimer les solutions spontanées qui aggravent le problème ;
- encourager les solutions spontanées qui améliorent la situation ;
- le temps que le système me donne pour améliorer la situation.

Toutes ces procédures doivent être réalisées dans un temps précis, le temps que le système familial se donne pour améliorer la situation ou obtenir la guérison. Cela prendra-t-il un mois, trois mois, six mois ? Tous ces critères font que la stratégie de traitement varie d'un chien à l'autre et d'une famille à l'autre.

La préservation de la vie

Chez des chiots en sidération complète, qui ne mangent ni ne boivent plus, qui maigrissent et dépérissent, le premier geste est médical : c'est la perfusion. Dès que les fonctions de survie sont reparties, on peut envisager un autre traitement.

L'usage de médicaments

Pourquoi utiliser un médicament ? La dépression est une pathologie, une maladie. Elle entraîne une invalidation sérieuse et n'est pas spontanément réversible. La médication (homéopathique ou classique) est une nécessité. Elle aide en outre à réduire rapidement les nuisances liées à l'insomnie et à l'inhibition. Il ne faut pas oublier que lorsqu'un chien souffre d'insomnie, toute la famille perd le sommeil.

Le choix du bon médicament

Dans ce domaine, je laisse le choix au vétérinaire. On ne peut pas jouer avec des médicaments qui ont un pouvoir sédatif important, c'est-à-dire qui favorise l'endormissement, parce qu'ils réduisent aussi la vigilance qui est déjà très insuffisante chez le chien déprimé. On peut avoir recours à des somnifères, mais ponctuellement. On donnera la préférence aux médicaments régulateurs.

En homéopathie, les remèdes comme *Natrum-muriaticum, Phosphorus, Aurum, Causticum, Phosphoric-acidum,* etc. sont couramment prescrits dans le cas d'états dépressifs, pour autant que l'ensemble des symptômes de l'individu concordent.

En médecine classique, lors d'une dépression aiguë réactionnelle (par exemple, à la suite d'un traumatisme), lorsque l'état d'inhibition est très important, que le chien ne bouge pas et ne mange pas, un médicament désinhibiteur est fortement indiqué. Dans le cas d'un état subaigu, je prescris d'autres antidépresseurs plus régulateurs, suivant la symptomatologie et la stratégie. En cas de dépression chronique, le choix des médicaments est très vaste. Après la prescription du médicament, on évalue ses effets dans les quatre semaines suivantes. Il est fréquent de changer le médicament pour des raisons de stratégie de traitement et pour travailler sur d'autres chimies cérébrales.

Les thérapies

La thérapie de la dépression réactionnelle

Il n'y a pas de thérapie spécifique si ce n'est :
- créer ou restaurer un lien d'attachement au plus vite ;
- stimuler progressivement tous les canaux sensoriels : donner davantage de lumière, caresser, parler d'une voix douce… ;
- récupérer l'odeur apaisante de l'être d'attachement sur un objet transitionnel.

La thérapie de la dépression chronique

- Susciter l'initiative.
- Débloquer l'état d'inhibition par le jeu et les activités agréables.
- Éliminer l'état de détresse et les crises de panique.
- Réguler le cycle veille-sommeil.

Objectif : susciter initiative et plaisir

Avec un individu en dépression chronique, il faut stimuler l'activité organisée et agréable. Posons-nous deux questions.

- Quelle était l'activité préférée du chien, celle qui lui donnait le plus de joie avant sa maladie dépressive ?
- Quel serait le facteur le plus motivant pour lui, le plus apte à le récompenser ?

Associer une activité agréable – qui se récompense d'elle-même par son aspect agréable (jeu de balle, traction sur un chiffon…) – et une récompense très motivante (morceaux de jambon, crevettes…) doit permettre d'allumer une étincelle d'initiative et de plaisir dans le cerveau du chien.

C'est ça l'objectif : lancer le plaisir et voir où cela nous mène, sans fatiguer le chien. Si le chien remue la queue ou a un regard plus éveillé, nous devons l'encourager à faire un pas de plus dans la recherche de plaisir.

Sont interdits toute contrainte, toute colère, toute punition même verbale. L'accent est mis sur le plaisir, exclusivement.

On se fixe un objectif. Quand il est en cours de réalisation, on peut en programmer un deuxième.

Objectif : éliminer l'état de détresse et la panique

Dès que le chien sort de son état de sidération et d'inhibition, et qu'il fait des progrès, on peut engager des thérapies d'habituation, de désensibilisation, d'immersion contrôlée (voir chapitre 3).

Objectif: réguler le cycle veille-sommeil

Une fois le chien placé sous médication régulatrice, le cycle veille-sommeil s'améliorera rapidement. On peut aider en programmant des rythmes de vie, en organisant la vie de jour et le sommeil de nuit. Pour cela, il faut fixer des horaires pour les activités, les repas, les sorties, le coucher (en sieste, de jour et de nuit).

Cet horaire dépendra de celui des propriétaires et devra, au départ, être identique en semaine et en fin de semaine. Il doit permettre d'organiser la vie chaotique du chien sans entraîner de nuisance particulière pour les propriétaires.

Le respect du cycle veille-sommeil passe par celui du rythme jour-nuit. La journée sera lumineuse (ouvrir les tentures, allumer les lampes) et la nuit sera sombre, avec, si nécessaire, une lampe de seulement quelques watts comme repère apaisant (comme pour les enfants).

La thérapie du syndrome de privation au stade de dépression chronique

Après avoir levé l'état dépressif à l'aide de médicaments, le chien entre dans le programme de thérapie du syndrome de privation.

Conclusion

La dépression est une affection grave qui modifie l'état d'humeur de l'animal, c'est-à-dire la façon dont il voit le monde et réagit à ses informations. C'est une affection très débilitante qu'il est possible de soigner aujourd'hui.

Le jeune chien
à problèmes multiples

Oscar

Docteur, la situation est grave mais, je l'espère, pas désespérée. Oscar a 5 mois. Il est agressif, nerveux, malpropre, il a peur de sortir – même dans le jardin – il est désobéissant, il détruit, même quand on est là, et il ne supporte pas de rester seul. Et pourtant, on… l'aime. Cela ne peut plus durer. La dernière chose qu'il a mangée, c'est le clavier de l'ordinateur, et avant, le téléphone portable…

Les problèmes des jeunes chiens

Dans le chapitre premier, je vous ai parlé des troubles majeurs affectant les jeunes chiens :
- anxiété et gestion de la période de socialisation primaire ;
- hyperactivité et gestion du contrôle de soi, de la motricité, des morsures ;
- délinquance et gestion des règles sociales et des rituels de communication ;
- dépendance et gestion de l'attachement ;
- dominance et gestion de la hiérarchie ;
- dépression.

Un chiot peut cumuler divers troubles. Avec des facteurs génétiques défavorables et une période de socialisation primaire exécrable, le chiot peut être anxieux, hyperactif, délinquant et dépendant.

En revanche, il ne peut pas être dépendant et dominant, ni délinquant et dominant ; il ne peut être que l'un ou l'autre. Il aura des difficultés pour être en même temps hyperactif et déprimé mais il peut très bien alterner entre les deux phases, quelques jours ou semaines hyperactif, quelques jours ou semaines dépressif (trouble bipolaire).

Comment traiter un chien à problèmes multiples ?

Soigner un chien cumulant différents troubles est bien entendu un défi pour un vétérinaire comportementaliste. Poser des diagnostics multiples n'est pas difficile. Ce qu'il faut établir, ce sont les stratégies thérapeutiques : quelles sont les priorités et les objectifs des traitements successifs ? C'est là que réside la difficulté.

Les médicaments ne sont pas prescrits pour un trouble particulier. Les médicaments agissent sur l'animal entier, sur sa chimie cérébrale. Ils sont donc actifs sur plusieurs pathologies.

Les thérapies visent pour leur part à amender certains signes bien précis.

La demande et les objectifs

Que désirent les propriétaires ?
- Que le chien devienne normal en quelques jours ? C'est impossible. Il est préférable de se séparer du chien et d'acquérir un chien en peluche ou un chien digital (sur ordinateur).
- Que le chien fasse 50 % de progrès en trois mois ? C'est un objectif tout à fait réalisable.
- Que le chien passe de 40 % à 70 % sur l'échelle d'évaluation globale de fonctionnement (voir les annexes) en trois mois ? C'est

aussi possible dans certains cas, pas dans tous. En six mois? C'est beaucoup plus vraisemblable.

Conclusion

Les chiens à problèmes multiples sont des défis pour les spécialistes. Ils ne constituent heureusement pas le plus grand lot des chiens à problèmes. Mais ils ne sont pas les meilleurs candidats pour devenir des compagnons familiaux, que ce soit pour des adultes ou, pire, des enfants, des personnes âgées ou invalides. Ce ne sont pas non plus de bons chiens de travail, quel que soit le travail demandé, que ce soit la garde, le pistage ou la fouille dans les décombres. Enfin, ce ne sont pas de bons chiens de sport, car même s'ils sont impulsifs, ils sont bien difficiles à contrôler.

Dès lors, avant de les traiter, demandons-nous si nous devons les traiter? Quelle est la solution?

À part l'euthanasie ou le traitement, il n'y pas de solution éthiquement satisfaisante.

Et je comprends que certaines personnes ne veulent pas prendre la décision de vie ou de mort.

Échelles d'évaluation

Faire un diagnostic est une belle et bonne chose. S'engager dans un changement est encore mieux. Comment allez-vous déterminer si le chien s'améliore, si les nuisances sont réduites, si le système fonctionne mieux ?

Objectivation

Il est indispensable d'entreprendre un travail d'objectivation avec le thérapeute.

Si le chien dort peu, peut-on chiffrer les heures de sommeil ?

Si le chien est très actif, peut-on chiffrer après combien de temps il arrête une activité ?

Si le chien est agressif, peut-on chiffrer la fréquence de ces agressions et leur intensité ?

Si le chien a peur, peut-on chiffrer sur une échelle de 0 à 10 l'intensité de sa peur : Par exemple :

0 = absence de peur

1 = crainte modérée

5 = peur avec tremblements mais sans fuite

8 = peur violente avec contrôle difficile par le propriétaire

9 = peur panique avec fuite éperdue, sans contrôle ou agression violente

Échelle d'évaluation globale de fonctionnement (EGF)

Cette échelle est proposée dans le DSM (Manuel diagnostic et statistique des troubles mentaux) à usage humain. Pourquoi ne pas l'adapter au chien ?

Voici l'échelle en question et, dans un second tableau, quelques exemples.

81 à 90	Symptômes absents ou minimes, bon fonctionnement, bonnes initiatives, pas plus de problèmes que les petits soucis de la vie quotidienne.
71 à 80	Symptômes transitoires, réactions prévisibles à des facteurs de stress, invalidité légère du fonctionnement social ou professionnel.
61 à 70	Quelques symptômes légers ou petite difficulté ou invalidité dans la communication sociale ou le travail professionnel.
51 à 60	Symptômes d'intensité moyenne ou invalidité moyenne dans le fonctionnement social ou professionnel.
41 à 50	Symptômes ou invalidité importante.
31 à 40	Symptômes ou invalidité majeure.
21 à 30	Symptômes ou invalidité grave. Hallucinations. Dépression aiguë grave avec dépérissement.
11 à 20	Dangerosité marquée. Syndrome dissociatif. Totale incapacité de communiquer avec chiens et humains. Dépression aiguë grave avec risque de mortalité.
1 à 10	Hyperagressivité systématisée.

Exemples

81 à 90	Trac avant un parcours d'*agility*. Petits grognements lors de conflits pour un os. Rares fugues.
71 à 80	Calme excessif et perte d'appétit temporaire au retour des vacances et à la reprise du travail des maîtres ou lors de la mise en chenil.

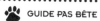

Quelques jours d'humeur bougonne par mois. Peur ou phobie d'un stimulus rarement présent dans l'environnement (montgolfière…).

61 à 70   Vol épisodique (hebdomadaire) d'aliments ou d'objets. Appétit variable et sommeil perturbé de temps à autre, sans régularité. Aboie parfois, souille ou détruit quand il est seul.

51 à 60   Attaques de panique une ou deux fois par mois. Phobie de l'orage et des feux d'artifice (stimulus très occasionnel). Évitement de certaines situations systématiques et courantes comme les marchés. Réactions d'évitement et d'agression contrôlée face à certaines personnes ou certains chiens.

41 à 50   Phobie ou anxiété de privation empêchant le chien d'explorer l'environnement ou le maintenant à distance de certaines personnes. Agression, de contrôlée à forte, forçant le propriétaire à maintenir le chien sous contrôle (laisse, muselière).

31 à 40   Communication sérieusement altérée (chien délinquant). Recours fréquent à des agressions qui ont perdu en contrôle (morsure plus forte). Agression systématique contre une catégorie d'individus (chiens ou humains). Dépression chronique.

21 à 30   Agression importante et mal contrôlée sur quiconque sauf quelques familiers. Hallucinations visuelles ou olfactives. Mouvements répétitifs (tournis) pendant des heures par jour. Dépression aiguë avec dépérissement.

11 à 20   Agression violente et imprévisible. Chien délinquant (dyssocialisé) hyperagressif. Crises de panique violentes et quotidiennes avec échappements sans contrôle (et risque de défenestration ou d'accident).

1 à 10   Chien hyperagressif en toutes circonstances.

Cette échelle est réalisée au jour zéro – jour de la consultation, jour de lecture de ce chapitre – et elle permet de suivre l'évolution du chien autant en amélioration qu'en aggravation :

- au cours du traitement ;
- au cours de l'évolution de sa problématique, s'il n'est pas traité.

Les vétérinaires comportementalistes disposent également d'échelles quantitatives de l'évaluation émotionnelle ou agressive du chien qui seront d'une aide réelle pour le suivi du traitement.

Aide au diagnostic

Dans le tableau de la page suivante, je vous propose de totaliser les symptômes de votre chien. Cela permettra de vous faire une idée plus aisément du ou des diagnostics possibles.

Le + signifie que le symptôme peut être présent.

Le * signifie que le symptôme est très souvent présent, voire obligatoire.

Le - signifie que le symptôme est généralement absent.

L'absence de symbole signifie que le symptôme peut être indifféremment présent ou absent.

Symptômes	Délinquance	Dépendance	Dépression	Dominance	Hyperactivité	Privation-phobie	Privation-anxiété
Agression : autodéfense	*	+	+	*	*	+	+
Agression : compétitive	+	–	–	+	+	–	–
Agression : impulsive	+	–	–	–	+	–	–
Alimentation : ingestion de nuit	–	–	–	–	+	+	+
Alimentation : ingestion lente	–	–	+	+	–	–	–
Anxiété							*
Apprentissage : déficitaire	+		+		+		+
Crainte		+				*	+
Décision : demande et on lui obéit	+	–	–	*			
Délinquance	*	–	–	–		–	
Dépendance – hyperattachement	–	*	+				+
Dépression	–	–	*	–		–	
Détresse	–	*	*	–	–		+
Dominant	–	–	–	*	+		
Exploration : réduite		+	*				+
Habituation (manque de)	–		+	–	*	+	+
Hyperactivité	–		–	–	*		
Hypervigilance	+	+	–	+	*	*	*
Inhibition			*				+
Marquage à l'urine (lever de patte)	+	–		*	+		
Morsure mal contrôlée	*	–	–	–	*	–	–
Panique (attaque de)		+	+			+	+
Passages : contrôle des	+			*			
Peur		+	+		+	+	+
Phobie		+	+			+	+
Posture basse		*					
Posture de soumission, jamais vue	*	–	–	–	–	–	–
Posture haute	+	–	–	*	+		
Privation – milieu de développement						+	*
Séparation : intolérance		*	+				
Sommeil : en dessous de la normale					*		
Sommeil : insomnie			*		+		
Sommeil : somnolence			*				
Stress		+	+		+	+	+
Vocalises : détresse (quand il est seul)		*	+				+
Vocalises : gémissements répétés			*				
Total des + et des *							

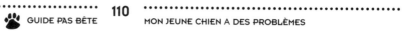

Épilogue

Les chiens que je vois depuis 20 ans me rappellent que, s'il est agréable mais délicat de vivre avec sa propre espèce, il est encore plus compliqué de vivre avec une espèce étrangère. Outre les frictions quotidiennes, il y a la grande différence de langage qui rend la communication problématique, équivoque et parfois aléatoire. Et pourtant, cela fait 15 000 ans que cela se perpétue!

Mon travail de vétérinaire comportementaliste (formé en thérapie familiale), c'est d'aider à résoudre les problèmes de comportement qui handicapent quelques chiens et leurs familles d'accueil. Mon travail d'écrivain est de vous permettre d'accéder aux connaissances concernant le comportement normal et les difficultés à vivre de certains chiens.

Le problème, avec les chiens, c'est qu'on les aime.
Leur chance, c'est qu'on les aime.
Notre mythe, c'est de croire que les chiens nous aiment.
Et c'est souvent vrai.
Notre préjugé, c'est de croire que l'amour résout les problèmes.
Cela aide, c'est sûr, mais c'est la connaissance et la compétence qui permettent la résolution des difficultés.

La fable commence ainsi: «Il était une fois un humain et un chien...»
Et je n'ai nulle intention de terminer cette fable.

Lexique

Ce lexique reprend certains termes définis dans les chapitres de ce guide.

Anxiété	C'est un état d'émotion diffuse de crainte ou de peur, chargée d'appréhension (anticipation), en réaction peu prévisible à des variations, même mineures, de l'environnement. Elle se manifeste par des postures et des comportements de la peur. Elle s'accompagne souvent de manifestations somatiques irrégulières comme de la diarrhée, des vomissements, de la salivation, de la transpiration…
Crainte	La crainte est la réaction comportementale modérée d'un individu face à un stimulus inconnu ou connu et jugé faiblement dangereux dans un milieu qui permet la fuite ou l'exploration.
Délinquance	Le chien délinquant ne respecte pas l'éthique des chiens : il ne connaît pas la posture de soumission, présente des morsures fortes, non contrôlées et des agressions impulsives (avec menace et attaque simultanées).
Dépendant	Est dépendant (hyperattachement) le chien qui suit sans arrêt l'être d'attachement et qui est en détresse lors de l'éloignement de ce dernier.
Dépression	État caractérisé par une diminution globale de réception (inhibition sensorielle) et de réaction aux stimuli (un état d'inhibition réactionnel) avec symptômes dans les quatre groupes clés suivants : un manque

	général d'initiative, une inhibition dans le jeu et les activités agréables, un état de détresse chronique avec des crises de panique, des troubles du cycle veille-sommeil.
Désensibilisation	C'est l'habituation par exposition graduelle de l'individu, en état de relâche, à un stimulus d'intensité croissante.
Désordre	Le désordre comportemental est un mot inspiré de l'anglais *disorder* qui reprend et organise un ensemble de signes et de symptômes obligatoires et accessoires afin d'en faire un syndrome.
Détresse	État émotionnel et affectif de stress violent, dans une situation sans issue, se manifestant par de la peur.
Dominant	Est dominant le chien qui a les privilèges et les postures du dominant (voir chapitre 10).
Éthique	Ensemble de règles de conduite.
Extinction	Technique éducative qui consiste à arrêter de donner une récompense (renforcement) à un chien afin d'éteindre le comportement auparavant récompensé.
Habituation	Processus par lequel la réaction comportementale de l'animal est améliorée, amoindrie, plus indifférente à chaque présentation d'un stimulus identique.
Hyperactivité	C'est une pathologie définie par l'hypertrophie de l'activité motrice, la quasi-incapacité d'arrêter spontanément une activité sauf par épuisement, l'absence du processus d'habituation, l'inaptitude à apprendre par les méthodes d'apprentissage usuelles. L'ensemble de ces symptômes interfère avec l'activité normale et sociale.
Hypervigilance	État de veille (vigilance) excessif d'un chien aux aguets de la moindre information sensorielle et sur ses gardes pour la moindre menace.
Immersion contrôlée	Thérapie dans laquelle on force l'individu à confronter le stimulus dont il a peur pendant un temps suffisant pour entraîner un état de relâche (même partielle).

Inhibition	Blocage réactionnel temporaire (physiologique) ou chronique et/ou réversible (pathologique). Quand ce blocage entraîne un arrêt des comportements de l'animal, on parle d'inhibition comportementale.
Jeu, thérapie	Processus thérapeutique d'organisation sociale et/ou de désensibilisation se faisant par l'intermédiaire d'un jeu excitant.
Normal	*Voir* Physiologique.
Panique (attaque de)	Période brève et brutale de peur avec des symptômes physiques (halètements, salivation, transpiration…).
Pathologique	Comportement qui a perdu la capacité d'adaptation. Il est généralement figé, pétrifié, rigide, ankylosé. Les capacités d'apprentissage sont fortement amoindries. L'animal souffrant d'une pathologie comportementale a des difficultés à interagir avec son environnement et le comportement pathologique interfère avec les activités sociales normales.
Peur	La peur est la réaction comportementale violente d'un individu face à un stimulus inconnu ou connu et jugé fortement dangereux dans un milieu qui ne permet pas la fuite ou l'exploration. Le comportement de fuite ou d'agression est accompagné de transpiration ou de salivation, de halètements, de miction ou de défécation émotionnelle, ou même de vidange des sacs anaux.
Phobie	C'est une réaction ponctuelle de crainte ou de peur d'un stimulus bien défini, objectif, réel, mais qui s'est démontré à l'animal comme étant sans danger réel.
Physiologique	Comportement adaptatif, souple, flexible, qui s'ajuste sans difficulté majeure aux modifications de l'environnement. Le chien aux comportements normaux est capable d'apprendre et de s'adapter.
Posture	Position corporelle volontaire ou involontaire qui a une fonction de communication.

Privation	Relatif à un environnement de développement hypostimulant (particulièrement pendant la période de socialisation primaire).
Problème	C'est le comportement du chien qui pose problème au propriétaire, qui l'interpelle, qui le gêne, l'embarrasse. Le problème est défini par rapport à l'attente du propriétaire ou de la société.
Régulateur, médicament	Médicament qui a des propriétés stabilisantes et harmonisantes pour l'ensemble des fonctions de l'organisme: émotions, appétit, sommeil, agressivité… Généralement, l'effet se manifeste après quelques semaines de traitement.
Sensibilisation	Processus par lequel la réaction comportementale de l'animal est aggravée, plus invalidante, à chaque présentation d'un stimulus identique.
Sidération	Inhibition sévère de toutes les activités volontaires.
Socialisation primaire	Période située entre 2 à 3 semaines et 3 à 4 mois qui permet au chiot d'apprendre quelle est son espèce et quelles sont les espèces amies, et d'établir des seuils de référence sensoriels pour l'environnement.
Stress	Situation qui entraîne une réaction de fragilisation de l'organisme et entraîne une réaction en chaîne (nerveuse, émotionnelle, hormonale, immunitaire).
Syndrome de privation	Il est défini par 1) l'impossibilité de gérer certains stimuli de l'environnement (peur) et 2) le vécu de la période de socialisation dans un milieu appauvri (hypostimulant).
Trouble	Le trouble de comportement est une anomalie de fonctionnement dans le comportement de l'animal ou de son système familial.

Références

Outre les années d'expérience et les centaines ou milliers d'articles ou de livres lus, je reprends des terminologies dans:

AMERICAN PSYCHIATRIC ASSOCIATION. *Diagnostic Criteria from DSM-IV,* Washington, 1994.

DEHASSE, J. *L'éducation du chien,* Montréal, Le Jour, éditeur, 1998.

DEHASSE, J. *Mon chien est bien élevé,* Montréal, Le Jour, éditeur, 2000.

OVERALL, K. *Clinical behavioural Medicine for Small Animals,* Saint Louis (Missouri), Mosby, 1997.

PAGEAT, P. *Pathologie du comportement du chien,* Maisons-Alfort, Le Point Vétérinaire, 1998, coll. «Médecine Vétérinaire».

DU MÊME AUTEUR

L'éducation du chien, Montréal, Le Jour, éditeur, 1998.
Chiens hors du commun, Montréal, Le Jour, éditeur, 2ᵉ édition, 1996.
Chats hors du commun, Montréal, Le Jour, éditeur, 1998.

Dans la collection « Guide pas bête » :

Mon chien est bien élevé, Montréal, Le Jour, éditeur, 2000.
Mon chat est bien élevé, Montréal, Le Jour, éditeur, 2000.
Mon chien est-il dominant?, Montréal, Le Jour, éditeur, 2000.

La collection « Mon chien de compagnie », Montréal, Le Jour, éditeur.

Table des matières

groupe — Âge d'acquisition et délinquance — Danger! — Avant de traiter… — Comment traiter le chiot délinquant? — L'usage de médicaments — Les thérapies de contrôle — Les réductions de privilèges — L'apprentissage de la tolérance au contact — Limites

Belle — Quel est le problème du chien dépendant? — Il est impossible de ne pas faire d'attachement — Le chien, un être social avant tout — Histoire naturelle du développement de l'attachement — Histoire du développement de l'attachement en famille d'accueil — Attachement et apprentissage — Attachement et détachement — Caractéristiques du chien dépendant — Diagnostic du chien dépendant — La terminologie scientifique — Comment traiter le chien dépendant?

Prévention — Détachement et «désamour»? — Quand la solution fait partie du problème — Il sait qu'il a mal fait! — Avant de traiter… — Comment traiter la dépendance? — L'usage de médicaments — Les thérapies — La thérapie comportementale — La thérapie cognitive — Les thérapies systémiques

Gamin — Quel est le problème du chien dominant? — Que veut dire être «dominant»? — Les privilèges du dominant — Les postures dominantes — Avant la puberté — Comment savoir si son chien est dominant? — Un chien agressif est-il dominant? — Un chien désobéissant est-il dominant? — Comment traiter le chien dominant?

Cet ouvrage a été achevé d'imprimer
en avril 2000

IMPRESSION
IMPRIMERIE GAGNÉ

 IMPRIMÉ AU CANADA